A linguagem do corpo

Dados Internacionais de Catalogação na Publicação (CIP)
(Câmara Brasileira do Livro, SP, Brasil)

Cohen, David
A linguagem do corpo : o que você precisa saber / David Cohen ; tradução de Daniela Barbosa Henriques. 10. ed. – Petrópolis, RJ : Vozes, 2015.

Título original: Body language : what you need to know

8ª reimpressão, 2024.

ISBN 978-85-326-3817-5

1.Comunicação não verbal (Psicologia) 2. Linguagem do corpo I. Título.

09-00013 CDD-153.69

Índices para catálogo sistemático:

1.Linguagem do corpo : Comunicação não verbal : Psicologia 153.69

David Cohen

A linguagem do corpo

O que você precisa saber

Tradução de Daniela Barbosa Henriques

Tradução do original em inglês intitulado
Body language – What you need to know

Direitos de publicação em língua portuguesa:
2009, Editora Vozes Ltda.
Rua Frei Luís, 100
25689-900 Petrópolis, RJ
www.vozes.com.br
Brasil

Editoração: Sheila Ferreira Neiva
Diagramação: AG.SR Desenv. Gráfico
Capa: Juliana Teresa Hannickel
Ilustrações do original inglês: Monica Capoferri

ISBN 978-85-326-3817-5 (Brasil)
ISBN 978-1-84709-003-4 (Reino Unido)

Este livro foi composto e impresso pela Editora Vozes Ltda.

Em memória do Dr. James MacKeith, bom amigo e sábio psicólogo.

Sumário

Lista de ilustrações

Figuras

Tabela

Introdução

Falamos com a boca, mas nos comunicamos com os nossos olhos, semblantes, sorrisos, mãos, braços, até mesmo com nossas pernas e dedos dos pés. Possivelmente, a única parte em nosso corpo que não usamos na comunicação é o umbigo – e eu não tenho certeza se essa afirmação é verdade. Afinal de contas, se você enfeitar o seu umbigo com um *piercing*, isso revela algo sobre a sua personalidade: é improvável que uma garota com *piercing* seja uma moça tímida e recatada.

Não é possível saber se os dinossauros usavam alguma forma de comunicação pré-histórica não verbal ou linguagem corporal, mas é quase certo que a linguagem corporal seja muito antiga. Há estudos de comunicação não verbal em cães, gatos, cavalos e até vacas. Chimpanzés e gorilas usam sistemas complexos de comunicação não verbal – e nós temos muito em comum com eles. Um livro famoso publicado na década de 1960, *The Naked Ape*, de Desmond Morris (*Macaco nu – Um estudo do animal humano*), afirma que grande parte do nosso comportamento é muito similar ao dos macacos.

Atualmente, a linguagem corporal continua importante – talvez até mais agora, já que vivemos em um mundo de rápidas mudanças, que nunca para, a sociedade estressada. Conhecemos pessoas novas o tempo todo e precisamos ter uma ideia a respeito delas muito rapidamente. Elas nos agradam? São confiáveis? Vão nos agredir ou ficarão felizes se sugerirmos uma saída juntos?

Há cem anos, as pessoas precisavam ser apresentadas para poderem entrar na sala de estar de alguém. Hoje praticamente não existem tais formalidades. Se tiver cinco minutos para decidir se a pessoa à sua frente pode ser um bom colega, o amor da sua vida ou um total perdedor, você precisa entender a sua comunicação não verbal. E isso não é simples – por um motivo simples.

O *homo sapiens* é a única espécie capaz de mentir, enganar e tentar imaginar o que alguém tem em mente. O mais avançado dos macacos não é capaz de imaginar o que outro macaco está pensando, ou se o chimpanzé A o odeia porque inveja os pêlos do seu tórax. Em termos de engano, maldade, fraude e autoconhecimento, o chimpanzé é um bobo quando comparado a nós.

Nós, os orgulhosos governantes do planeta Terra, somos capazes de operar maravilhas de duplicidade. Então, precisamos de ajuda para entender o que a outra pessoa está realmente pensando, mas é muito educada, confusa, esperta ou manipuladora para dizer.

Como veremos, os indivíduos diferem na maneira pela qual compreendem a linguagem corporal. A linguagem corporal é quase impossível de ser entendida por aqueles que sofrem de autismo e esquizofrenia. De acordo com o psicólogo Sergio Paradiso (1999), da Universidade de Iowa,

> À medida que interagimos com as pessoas, fazemos julgamentos dos quais não temos consciência. Quando vemos um colega de trabalho curvado e não vemos o seu rosto, aproximamo-nos com cuidado porque achamos que algo pode estar errado e talvez possa-

> mos ajudar. Nós não vemos o rosto, mas colhemos informações da linguagem corporal. Os esquizofrênicos não são tão bons em extrair esse tipo de informação para orientar as suas interações sociais.

As consequências podem ser sérias. Se você não ler a linguagem corporal, poderá frustrar as pessoas com quem lida, tornando-se ainda mais nervoso e socialmente canhestro.

Mas não é mera questão de inteligência. Você pode ser academicamente inteligente e não conseguir ler os sinais das outras pessoas. Você pode não ser brilhante nos testes de QI, mas ser perfeitamente capaz de captar o que os outros sentem, porque responde "instintivamente" à sua linguagem corporal.

Responder instintivamente ou com intuição não é mágica. O que realmente estamos fazendo é reunir, quase instantaneamente, dezenas de pequenas pistas que captamos da linguagem corporal das pessoas – a maneira pela qual ficam de pé e se apoiam, os ângulos dos braços, a expressão do rosto, para onde estão olhando, até se as pupilas estão dilatadas ou não.

A linguagem corporal não apenas nos fala dos outros, mas pode revelar como nos sentimos e nos preocupamos em relação a nós mesmos. Na sociedade autoestressada, tendemos a nos aborrecer e ficar neuróticos. O estresse nos obriga a beber muito, usar muitas drogas, sofrer de doenças psicossomáticas e ter plena consciência de nossas insatisfações. Uma forma pela qual demonstramos o estresse é pela linguagem corporal: nossos tiques e excentricidades. Eu coço os meus olhos porque estou preocupado, eu mudo a minha forma de sentar e abraço meus joelhos – dois atos que me confortam. Percebo estar inquieto e constato estar mais nervoso do que gostaria de admitir por causa da minha próxima reunião.

O inconsciente fala e deixa vazar

Histórico de caso

Tony está sentado de frente para o seu chefe e chefe de pessoal e é difícil saber se ele está a ponto de receber uma promoção ou se está prestes a ser repreendido. Ele parece calmo. O seu chefe está sorrindo, mas há um motivo sorrateiro para isso. Há um espelho atrás de Tony que permite ao chefe ver o que Tony está tentando esconder. Tony não percebe que o espelho está ali e pensa estar conseguindo ocultar a sua ansiedade. Mas as suas mãos estão atrás das costas e ele fica torcendo os dedos – um sinal clássico de linguagem corporal nervosa. Tony também coça a bochecha.

Bom, pensa o chefe. Ele quer demitir Tony e monitorou seus *e-mails*. Tony, tolamente, se envolveu em uma troca de *e-mails* sobre compra de maconha. A empresa não permite o uso do seu *e-mail* para comunicação pessoal, muito menos para comprar drogas ilícitas.

Mas o chefe não tem o direito de monitorar os *e-mails* dos outros e tem receio de que Tony processe a empresa. Observando a linguagem corporal de Tony no espelho, ele vê que Tony está assustado e ansioso por se defender.

Durante os próximos 15 minutos, o chefe é cruel e gosta do impacto dessa atitude. Finalmente, Tony fecha os olhos, tentando afastar todo aquele pesadelo. O chefe vence; Tony é demitido sem maior alarde.

Se o chefe não tivesse visto e sido capaz de entender a linguagem corporal nervosa de Tony, não teria tido confiança para ser tão agressivo. Mas Tony não conseguiu controlar a sua linguagem corporal e pagou o preço.

Celebridades

Muito da linguagem corporal é inconsciente – e o movimento da sobrancelha, a inclinação da cabeça, a virada do braço podem e costumam dizer muito mais do que a palavra falada. Esses movimentos estão no coração de nossa comunicação no papel de estranhos, colegas de trabalho, amigos e namorados. Então, é sensato tentar entender melhor a linguagem corporal. Ao ler os outros com maior precisão e controlar mais nosso projeto, nosso trabalho, vida social e amorosa só têm a se enriquecer.

A linguagem corporal também é notória hoje por causa de nossa obsessão com as celebridades. As revistas femininas narram inúmeras histórias sobre a linguagem corporal da celebridade do momento. Um agente do FBI chegou até mesmo a analisar o tremelicar da pálpebra de Madonna para ver se ela estava mentindo na rede NBC ao negar que estava grávida.

Durante muitos anos, é claro, Madonna não foi apenas uma cantora famosa, mas um ícone. Ela possuía o corpo perfeito.

O corpo perfeito

A mídia está cheia de imagens de mulheres e homens perfeitos, o que gera ansiedade e autoexpectativas altas e fora da realidade no resto de nós. Um terço dos homens e 70% das mulheres se acham muito gordos ou muito grandes. Distúrbios relacionados à imagem corporal são comuns, incluindo anorexia, bulimia e dismorfia corporal (um distúrbio em que a pessoa tem uma visão distorcida do próprio corpo ou de parte do corpo).

Porém, o nosso ideal de corpo perfeito mudou. Em 1917, por exemplo, as mulheres fisicamente perfeitas mediam cerca de 1,60m e pesavam 63kg. No início da década de 1940, as pessoas de corpo magro e ossudo eram vistas como nervosas, submissas e retraídas. Marilyn Monroe, por outro lado, tinha o corpo feminino perfeito – curvilíneo e em formato de violão.

Na década de 1980, entretanto, as curvas ficaram ultrapassadas. As supermodelos eram magérrimas e um grama a mais de gordura era – e é – uma tragédia grega. Há 25 anos, porém, as *top models* e divas da beleza pesavam 8% a menos do que a média feminina; agora, pesam 23% a menos. Apenas 5% das mulheres atingem o que a mídia atualmente decreta como peso e altura ideais.

Teoricamente, seria útil se tivéssemos uma ideia mais objetiva da própria aparência. Se o antiquado espelho não for bom o suficiente, é possível experimentar imagens em 3D do corpo. Isso se chama medida corporal. Algumas pesquisas recentes do Professor Philip Treleaven, da Universidade College, em Londres (2006), alegam que agora podemos conhecer a nossa aparência melhor do que nunca e o que achamos atraente nos outros. Desde 1920, o tamanho médio do seio feminino aumentou 10cm, os quadris 15cm e a cintura 20cm, de acordo com Treleaven. Apesar de todas as mudanças da moda, a pesquisa de Treleaven sugere que costumamos ler os corpos de maneira antiquada. Por exemplo, os homens tendem a achar a mulher mais cheia mais atraente, enquanto as mulheres preferem homens com porcentagem muito baixa de gordura corporal, sejam eles magros ou musculosos. Existem motivos biológicos para essas preferências. Mulheres mais vultosas podem parecer mais férteis ou com maior facilidade de parir; um homem de tórax grande demonstra ser capaz de proteger a sua família.

O que é visto como o corpo perfeito pode mudar, mas muitos aspectos da linguagem corporal não. A linguagem corporal – e como ela é percebida – está profundamente arraigada em nosso patrimônio biológico, tanto que nem costumamos ter consciência do uso das pistas que ela fornece. Neste livro, espero oferecer uma introdução útil à pesquisa mais recente sobre linguagem corporal – e dicas práticas que nos ajudem a entender a linguagem corporal dos outros e administrar a nossa própria. Quanto mais soubermos sobre a arte e a ciência da linguagem corporal, melhores seremos com essas habilidades tão necessárias.

Dentre os temas abordados estão:

• Encontrar alguém pela primeira vez;

• Namoro;

• Tentar decifrar o que alguém sente por você;

• Tentar descobrir se há algo errado com o seu parceiro.

E situações de trabalho, como:

• Entrevistas de emprego;

• Entrevistas de promoção;

• Convívio diário com os colegas, o que pode envolver conflitos que às vezes se tornam muito tensos.

O capítulo 1 aborda a história das pesquisas sobre linguagem corporal e suas controvérsias. O capítulo 2 analisa os fundamentos da linguagem corporal e o capítulo 3 considera como ocorrem as primeiras impressões. O capítulo 4 analisa a questão do espaço pessoal, o que ele significa e os movimentos conscientes e inconscientes que fazemos para protegê-lo. O capítulo 5 enfoca muitos detalhes pequenos e não tão pequenos da linguagem corporal, como o que fazemos com as mãos. O capítulo 6 trata das pesquisas mais recentes sobre contato ocular. O capítulo 7 resume 40 anos de pesquisa sobre expressões faciais: o que podemos ler no rosto das pessoas e como controlamos a própria expressão facial.

O capítulo 8 entra no ambiente de trabalho e examina a linguagem corporal no escritório e no comércio. Aborda a expressão corporal em entrevistas, como dissecar os tiques e trejeitos do chefe e como lidar com problemas no trabalho. Também explica uma técnica inusitada chamada "intenção paradoxal". O capítulo 9 trata da paquera, namoro e sexo – como perceber se alguém do sexo oposto está interessado em você e, o que também é importante, se não está. O capítulo 10 examina a mentira: como perceber se as pessoas estão mentindo para você e, sim, como evitar que a sua própria linguagem corporal revele que você está mentindo. O capítulo 11 aborda a linguagem corporal em diferentes culturas – e sugere por que os árabes podem ter dificuldade para captar as nuanças da linguagem corporal japonesa. O capítulo 12 resume o que eu espero ter transmitido aos leitores.

1
A ciência da linguagem corporal

Mais do que nunca, nos últimos anos a linguagem corporal tem sido objeto de análises mais "sérias". Psicólogos como Peter Collett e Geoffrey Beattie, da Universidade de Sheffield, – o psicólogo do *Big Brother* – têm teorias novas. As últimas técnicas de imagem cerebral permitem que os cientistas vejam que partes do cérebro trabalham quando as pessoas desempenham várias tarefas. Essas imagens também possibilitam ver como a linguagem corporal depende de certas partes do cérebro e o que acontece quando elas não funcionam. Psicólogos infantis rastrearam como as crianças desenvolvem as habilidades da linguagem corporal – e o que fazer se elas não as desenvolverem "normalmente".

Milagre

Um bom lugar para começar é no ano de 1853, na cidadezinha de Lourdes, sudoeste da França. Uma camponesa, Marie Bernarde Soubirous (que passou a ser conhecida como Bernadette), afirmou ter visto uma aparição da Virgem Maria em uma gruta. Os vizinhos não acreditaram a princípio; a família de Bernadette era pobre e havia tido problemas com a polícia. Mas as pessoas logo foram persuadidas de que Bernadette teve visões verdadeiras por causa da maneira convincente com que ela gesticulava para a aparição.

Em dois anos, Lourdes tornou-se um conhecido santuário. Até mesmo a Igreja, que sempre se preocupou com o fato de tais aparições serem inspiradas pelo demônio, aceitou que a camponesa tivesse visto a Virgem Maria. Hoje, todos os anos, milhares de peregrinos visitam Lourdes, possivelmente porque a linguagem corporal de Bernadette foi convincente e inspirou a crença.

O restante do livro trata de assuntos totalmente não espirituais, como sexo, poder e política no trabalho. Mas não se esqueça da conexão religiosa. Não é por acaso que as pessoas costumam rezar ajoelhadas, uma das posturas humanas mais submissas. Os muçulmanos vão ainda mais longe do que pessoas de outros credos e prostram-se perante Alá.

Linguagem corporal e mentira

Exercício 1.1: Mentindo

Imagine-se em uma situação em que você suspeite que alguém esteja mentindo. Anote os cinco pontos principais que você busca tanto em suas palavras quanto na sua linguagem corporal.

Como ainda estamos no princípio do livro, você pode precisar de algumas pistas de gestos que costumam acompanhar a mentira – mexer os dedos nervosamente, tocar no nariz, brincar com a ponta do cabelo, olhar para baixo e para os lados, dizer a mentira enquanto brinca com a bolsa, luvas ou cigarros. Algumas pessoas alegam que homens e mulheres muito nervosos podem se comportar exatamente como quem está mentindo – e há um pouco de verdade nisso.

Atenção total, atração total

Carl Rogers (1902-1986), um famoso terapeuta americano, criou uma escola de terapia dando aos clientes o que ele chamava de "consideração pessoal incondicional". Significava simplesmente que, ao sentar à mesa e ouvir os clientes, ele demonstrava estar ouvindo com total concentração (veja a Figura 1.1).

Figura 1.1 Consideração pessoal incondicional

Algumas das técnicas eram:

- Ele dava tempo para os clientes falarem.
- Balançava a cabeça para encorajá-los a continuar.
- Esperava com paciência quando eles paravam.
- Costumava se inclinar para frente a fim de criar um clima mais íntimo de afinidade.

Muitos de nós não nascem ouvintes, mas não há nada de misterioso em desenvolver essa habilidade, assim como não há mistério em entender a maioria dos aspectos da sua própria personalidade – algo que você deve saber se quiser virar um MLC: *Mestre da Linguagem Corporal.*

Exercício 1.2: Teste de autoconhecimento

Use uma escala de 1-5, onde:

5 significa que sempre acontece comigo;

4 significa que acontece muito comigo;

3 significa que às vezes acontece comigo;

2 significa que acontece comigo muito esporadicamente;

1 significa que nunca acontece comigo.

Que escala você se dá nas seguintes perguntas?

1 Preocupo-me com o que as pessoas pensam de mim.

2 Questiono-me sobre o meu comportamento.

3 Olho-me no espelho antes de sair.

4 Fico nervoso quando alguém que julgo meu amigo age de maneira que eu não entendo.

5 Preocupo-me em ser vaidoso demais.

6 Fico nervoso quando entro em um recinto onde não conheço ninguém.

7 Gosto de tentar perceber o que os outros estão pensando.

8 Existem certas coisas sobre a linguagem corporal dos outros que eu sempre percebo.

9 Acho importante ser calmo, controlado e contido.

10 Queria ser diferente – ser mais bonito(a), como a Nicole Kidman ou o Brad Pitt – mas não perco o sono por isso.

11 Tenho dificuldade para me concentrar e ouvir o que os outros têm a dizer.

12 Costumo ficar ansioso com a possibilidade de não causar boa impressão.

13 Gosto de observar as pessoas.

14 Gosto de observar os outros quando eles não estão percebendo.

15 Perturba-me saber que os outros podem adivinhar o que eu penso apenas olhando para mim.

✓ Respostas

Teoricamente, você pode totalizar 75 neste teste.

As perguntas 1-6, 12 e 15 medem as suas ansiedades sobre a impressão que você causa. Se estiver sempre ansioso sobre essas questões, você pode totalizar 40. Os que não são absolutamente ansiosos totalizarão 8.

• Um total de 30-40 sugere que você é muito ansioso sobre como apresenta a sua linguagem corporal.

• Um total de 20-30 sugere que, de alguma forma, você é ansioso a respeito.

• Abaixo de 20 sugere que você não se preocupa com isso.

As perguntas 7-11, 13 e 14 referem-se a desprendimento e curiosidade sobre a linguagem corporal. Você pode totalizar 35 nessas perguntas.

• Se totalizar entre 25 e 35, você é muito curioso sobre a linguagem corporal dos outros e muito desprendido.

• Se totalizar entre 15 e 25, você é medianamente curioso e desprendido.

• Se totalizar menos de 15, você realmente não está interessado na linguagem corporal dos outros – e está perdendo pistas fascinantes sobre o comportamento das pessoas.

Controvérsia

Hoje, os especialistas em linguagem corporal estão no meio de uma controvérsia. Os tradicionalistas alegam que você pode separar o comportamento não verbal quase totalmente das palavras. Talvez as afirmativas mais extremas sejam feitas por um psicólogo da Califórnia, Professor Albert Mehrabian. Na década de 1970, ele disse que:

• 7% do significado está nas palavras faladas;

• 38% do significado é paralinguístico (a maneira pela qual as palavras são ditas);

• 55% do significado está na expressão facial que acompanha as palavras.

Sinais não verbais respondem por 93% do significado que captamos em qualquer interação, segundo Mehrabian (1972). Muita gente aceita essas estatísticas. Teoricamente, então, se eu sorrir com doçura e parecer uma pomba arrulhando enquanto digo que você é desagradável, você não prestará muita atenção à parte "desagradável" da mensagem e não ficará chateado. Afinal de contas, 93% da minha mensagem (o sorriso e o arrulhar) é positiva.

Eu não experimentaria essa teoria. Quase todas as pessoas demonstram se importar se você as chamar de desagradáveis. Então, não surpreende que as ideias de Mehrabian sejam negadas nas obras de artistas e cientistas – inclusive nas de William Shakespeare, dentre outros. A ideia de que os seus gestos importam mais do que as palavras se dissipa no conselho que Hamlet dá ao rei da peça, o líder do grupo de atores que veio à corte do rei da Dinamarca:

> Acomoda o gesto à palavra e a palavra ao gesto, tendo sempre em mira não ultrapassar a modéstia da natureza.

Esse ainda é um bom conselho para os atores.

Muitos cientistas, incluindo o psicólogo do *Big Brother* Geoffrey Beattie na obra *Visible Language* (2004), acham que a psicologia deve concordar com Hamlet. Palavras e gestos andam juntos e devem ser considerados em conjunto como um pacote de comunicação, não divididos em pedaços diferentes, como sugere Mehrabian. E o resultado é que a linguagem corporal é ainda mais reveladora. Beattie afirma: "Agora reconhecemos que muito da nossa linguagem corporal é fugaz e, em vez de revelar emoções, na verdade revela o que estamos pensando também".

Darwin explica

Os filósofos da Grécia Antiga alegavam "que as paixões boas e más pelo seu exercício contínuo deixam sua marca na face e cada paixão particular tem a sua própria expressão". O poeta grego Homero observou como a expressão e a aparência "correlacionavam-se com o caráter".

Uns 2000 anos depois, em 1600, Sir Francis Bacon, o Lorde Chanceler da Inglaterra, dizia que era possível perceber "a disposição da mente pelas características do corpo". Essa ciência passou a ser conhecida como fisiognomia, mas não tinha uma reputação muito boa, já que muitos que diziam praticá-la estavam nisso só pelo dinheiro. Houve tantos abusos que uma Lei do Parlamento, de 1743, condenava "todos os que fingissem conhecer fisiognomia como patifes e vagabundos", devendo ser publicamente açoitados ou presos.

Felizmente essa lei não é praticada agora. Senão, eu e muitos colegas autores de livros sobre expressão corporal estaríamos em maus lençóis.

Em 1872, era seguro para o eminente e respeitável Charles Darwin publicar *The Expression of the Emotions in Man and Animals* (*A expressão das emoções no homem e nos animais*). Darwin, o pai da teoria evolucionista, percebeu que os macacos faziam certos gestos repetidamente; ele pediu a cientistas do mundo todo para enviarem exemplos interessantes dessa "linguagem animal", como chamava. Darwin queria ver se havia alguma relação entre os gestos humanos e animais. Recebeu centenas de respostas, especialmente descrições de dentes à mostra, gargalhadas e demonstrações de triunfo, quando os macacos tendiam não apenas a bater no peito, mas também pular, correr e uivar.

Eu nunca sugeriria que os jogadores de futebol atuais lembram remotamente os gorilas, mas vamos dizer que, quando alguns craques fazem gol, eles se comportam de maneira que Darwin teria reconhecido (veja a Figura 1.2).

Figura 1.2 O homem e o macaco

O macaco alfa bate no peito depois de esmurrar um macaco mais fraco. O triunfante jogador de futebol masculino alfa, ao acertar a bola na rede, corre freneticamente, salta e abraça os companheiros do time. A maioria dos jogadores de futebol não bate no peito como King Kong, mas não há como errar o significado da sua dança ritualística. Ela anuncia: "Sou o líder, o melhor macaco, o melhor jogador, o maioral".

Há algumas diferenças entre o gorila maioral e o artilheiro, porém. Por exemplo, o gorila é muito mais inibido para se envolver em um abraço coletivo comemorativo. O abraço coletivo em equipes esportivas já se espalhou até para o críquete, que já foi o mais reservado dos esportes. W.G. Grace deve estar se debatendo no túmulo.

E é improvável que o centroavante urine no gol (que ele conquistou) ou em seus adversários em cena de puro exibicionismo.

O gorila não mandará um beijo para a torcida.

O centroavante, se tiver sido criticado pela imprensa, poderá correr até a torcida abanando o dedo como um doido. Gorilas não fariam esse gesto, talvez porque não se importem com notícias maldosas no *Diário do Macaco*.

Exercício 1.3: Auto-observação

Quando foi a última vez que você se sentiu vitorioso?

Como você se comportou?

Você ficou feliz porque outras pessoas viram como você se sentiu empolgado?

Se você quis esconder, o que fez para ocultar o seu senso de vitória?

Dica

Tome cuidado ao demonstrar como se sente bem ao vencer. As pessoas podem se ressentir, a menos que elas realmente gostem de você e aprovem seu sucesso. A maioria das pessoas é mais ambivalente.

Darwin até especulou que é possível perceber um caráter egoísta apenas com sinais não verbais: "A dissimulação também é, eu acredito, demonstrada principalmente por movimentos dos olhos, pois eles são menos controlados pela vontade, devido à força do hábito contínuo, do que os movimentos do corpo" (1872: 484).

Depois de Darwin, houve pouco estudo acadêmico sobre a linguagem corporal até a década de 1960, quando dois homens voltaram a atenção ao assunto, tornando-o popular e academicamente respeitável. Um foi o zoólogo Desmond Morris, que escreveu *The Naked Ape* (1967) (*Macaco nu – Um estudo do animal humano*), mostrando como o comportamento humano era similar ao dos gorilas, babuínos e chimpanzés.

O segundo escritor era um homem esquisito que me ensinou psicologia quando eu estudava em Oxford. Michael Argyle era alto, meio desajeitado e nem sempre sutil. Costumava sentar sobre um travesseiro, o que o deixava em uma posição muito mais alta do que nós, alunos. Quanto mais alto sentamos, maiores ficamos, dizia ele enquanto ajeitava o travesseiro. Para um distinto acadêmico, ele tinha inseguranças surpreendentes. Mas as suas ideias sobre altura eram coerentes, como veremos.

Argyle (1975) afirmava que a maioria das pessoas, se olhar diretamente para você, está sendo sincera. Os olhos são as janelas da alma.

Mas não para todos.

Algumas pessoas têm um tipo de *personalidade maquiavélica*. Argyle criou esse nome em virtude do famoso escritor italiano do século XVI, Nicolau Maquiavel, que escreveu o maior texto sobre como ser implacável na política, *O Príncipe*. Alguns políticos modernos até admitem terem consultado a obra, já que ela tem dicas atemporais para a arte vital das conspirações, vazamento de informações e como apunhalar os colegas pelas costas.

Os tipos maquiavélicos, afirmava Argyle, são tão naturalmente sorrateiros a ponto de olharem alguém nos olhos e parecerem sinceros como santos – e mentirem ao mesmo tempo.

Shakespeare entendia os tipos maquiavélicos. Ele fez com que o vilão Ricardo III dissesse:

> Posso sorrir
> E matar enquanto sorrio
> E exultar de contentamento com o que me paralisa.

Shakespeare sabia que os gestos normalmente reforçam o que dizemos, como Hamlet disse, mas que eles não precisam fazer isso. Freud estava certo ao pensar que o Bardo foi o psicólogo mais instintivo que já existiu.

Os maquiavélicos controlam tanto a sua linguagem corporal que são capazes de exibir sinais muito controlados. Parecem tão convincentes porque esses são precisamente os tipos de sinais que consideramos inconscientes e automáticos. Mas os maquiavélicos os usam para dar a ilusão de estarem sendo sinceros, quando na verdade estão sendo altamente manipuladores. Por exemplo, o maquiavélico olha diretamente para você enquanto mente (Figura 1.3).

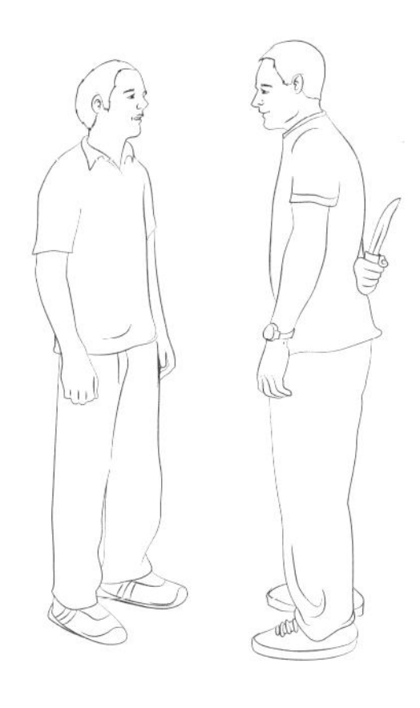

Figura 1.3 O maquiavélico

As pessoas nascem maquiavélicas ou aprendem a ser?

A linguagem corporal começa cedo

Começamos a aprender a linguagem corporal quando nascemos. Mamamos, choramos, sentimos com as mãos e, de quatro a cinco semanas, sorrimos. De seis a nove meses, apontamos as coisas. Dentro de dois anos depois que começam a falar, os bebês aprendem uma verdade humana – você pode dizer coisas que não sente e não sentir coisas que diz.

Quando têm cerca de três anos, as crianças dão os primeiros passos no que é um estudo que dura a vida toda, a psicologia dos outros. Ninguém diz às crianças para começarem a ser Freuds de fraudas e entenderem o que os gestos dos outros significam, mas, a menos que sejam afetadas por um distúrbio autista ou síndrome de Asperger, elas fazem isso. Até os quatro anos, a criança normal terá aprendido muito sobre o significado dos gestos; ela também saberá a diferença entre realidade e fingimento.

Para facilitar que as crianças conheçam o limite entre o real e o irreal, costumamos fazer gestos exagerados ou caretas quando começamos a fingir (Figura 1.4).

Figura 1.4 Careta

Crianças de quatro anos também sabem que não é inteligente colocar a mão sobre a boca ao mentir. Sob estresse, porém, até os adultos sofisticados podem esquecer isso. Observe os nossos líderes políticos da próxima vez em que aparecerem na televisão e veja se consegue perceber se eles estão dizendo a verdade – onde estão as mãos deles?

A mão ou os dedos escondem a boca porque a boca "tem vergonha" de não contar a verdade (Figura 1.5). É o mesmo princípio da mímica do silêncio, que fazemos quando crianças. Argyle (1975) também citava muito o conceito que tem o nome pouco elegante de *vazamento*, que alguns psicólogos, como Peter Collett (2005), agora chamam de *indicações*.

Mais uma vez, a teoria deve algo a Freud. Em *The Psychopathology of Everyday Life* (1930) (*Sobre a psicopatologia da vida cotidiana*), ele deu muitos exemplos de "parapráxis", como chamava, das pessoas esquecerem coisas ou cometerem erros peculiares. O inconsciente é primitivo e está cheio de desejos tabus que tendem a emergir. Freud descreveu uma paciente que insistia em dizer que estava feliz no casamento, mas ficava brincando com a aliança de casamento, tirando-a e recolocando-a no dedo. Você não precisa ser um gênio para perceber que ela estava ambivalente sobre o marido. Motivos e desejos inconscientes virão à tona. Nem todos são tão reveladores ou transparentes, porém, como brincar com a aliança de casamento.

Figura 1.5 Um sinal de mentira: a mão sobre a boca

As indicações começaram como termo de pôquer, mas agora vêm se tornando parte da cultura popular. Em *Cassino Royale*, o primeiro filme de Bond estrelando Daniel Craig, fala-se muito em indicações quando o 007 joga pôquer contra o malvado Le Chiffre. Bond vence, mas não é um leitor de linguagem corporal tão sagaz, já que deixa de perceber que a sua nova namorada na verdade é aliada dos vilões. Ela é uma verdadeira maquiavélica.

Celebridades, política e linguagem corporal

Durante o período de rivalidade entre Gordon Brown e Tony Blair, a linguagem corporal deles fascinava a mídia. Em 2004, o *Daily Mail* pediu a Peter Collett, o autor da teoria de indicações, para estudar gravações do Chanceler e do Primeiro Ministro na época.

Embora os dois se esforçassem muito, seus dedos dos pés e das mãos deixavam transparecer a verdade de que eram ferozes rivais. Durante o discurso de Tony Blair na conferência do partido, em 2004, o Chanceler "demonstrou nervosismo 322 vezes. Isso incluiu 15 mexidas tranquilizantes individuais nos punhos e várias olhadas para o chão, além de cruzar os braços e tocar no rosto", contabilizou Collett.

"O Sr. Blair também trai a sua insegurança acariciando o estômago – um sinal de estar buscando o conforto da mãe", Collett acrescentou. As mães costumam acariciar a barriga dos bebês para confortá-los. "A mãe de Tony não está ali para acariciar o estômago dele, então ele mesmo o faz", explicou o *Psycho Mail.*

Em 2006 as coisas pioraram. Gordon Brown estava elogiando Tony Blair quando deu a maior bandeira: tocou no nariz.

Tocar no nariz, muitos especialistas afirmam, é uma "atividade dispersiva" que sugere que a pessoa está mentindo. Mas a ideia de que tocar no nariz mostra que alguém está mentindo origina-se de um conto de fadas. Na antiga história de Pinóquio, o nariz dele cresce todas as vezes em que mente. Sugeriu-se que um mentiroso toca no nariz porque o fluxo sanguíneo aumenta ao mentir. Então, o que parece um tique nervoso é, na verdade, um tique desonesto. Quem toca no nariz está tentando ocultá-lo, porque ficou congestionado e fica cada vez mais vermelho à medida que mais sangue passa por ele.

Exercício 1.4: Auto-observação

Um dia, anote todas as vezes em que tocar no seu nariz – e o que estava dizendo ou pensando no momento. Com que frequência estava mentindo?

O interesse popular na linguagem corporal teve suas consequências. Quando Desmond Morris e Michael Argyle começaram a trabalhar na década de 1960, apenas os psicólogos tinham noção do que era. Hoje, todos nós temos muita consciência disso, ao menos no mundo desenvolvido. Não somos mais ingênuos sobre alguns dos sinais mais óbvios da linguagem corporal, o que torna o assunto mais complicado e interessante para entender e observar.

Um conceito-chave que precisamos entender é o de atividade dispersiva.

Atividade dispersiva

Os psicólogos definem uma atividade dispersiva como "a realização de um ato inapropriado ao estímulo que o evoca".

Quando um avestruz está assustado porque vê que um leopardo está prestes a atacar, o mais inteligente seria fugir. Porém, o avestruz enterra a cabeça na areia, o que não afugenta nenhum predador, mas presumivelmente desestressa o aflito avestruz – ao menos por alguns segundos. As atividades dispersivas geralmente ocorrem quando um animal está dividido entre dois impulsos conflitantes, como desejar um parceiro e estar assustado porque outro pássaro que também deseja o mesmo parceiro é maior e tem garras mais afiadas. Alguns pássaros que enfrentam esse dilema apoiam-se sobre uma pata.

Os humanos também usam atividades dispersivas, embora nem sempre enterrem a cabeça na areia nem fiquem em um pé só. Atividades dispersivas comuns são coçar atrás da orelha (Figura 1.6), colocar os braços atrás das costas e andar para lá e para cá. Quando as crianças estão sendo repreendidas pelos pais, é muito comum colocarem a mão atrás da cabeça e evitarem os olhos dos pais. Algumas pessoas – e animais – também bebem e comem. O homem que está inseguro sobre como lidar com a paquera pode comer várias batatas fritas e amendoins no bar.

Figura 1.6 Uma atividade dispersiva: coçar atrás da orelha

A linguagem corporal dá pistas de estresse – e até mesmo de condições mais sérias.

Linguagem corporal e saúde mental

No século XIX, os psiquiatras costumavam fotografar os seus pacientes de forma a captar o exemplo perfeito de depressão ou histeria. Algumas dessas fotografias são bastante grotescas. Se você visitar um hospital psiquiátrico hoje, até mesmo um como Broadmoor, que abriga os criminosos insanos, você não verá a exagerada linguagem corporal "louca" que era típica 150 anos atrás. Hoje em dia, os medicamentos são capazes de suprimir muitos sintomas. Mas você ainda verá pessoas curvadas na cama, deitadas no chão enrodilhadas em posição fetal ou caídas em uma cadeira de rodas. Todos esses são sinais clássicos de depressão clínica. Também verá pacientes que não param de andar, o que em parte se deve à ansiedade e em parte aos efeitos colaterais dos remédios.

Uma forma extrema de linguagem corporal destrutiva que é muito aflitiva, além de simbólica, é bater a cabeça. Crianças doentes costumam bater a cabeça na parede, assim como adultos doentes. Algumas pessoas que batem a cabeça afirmam estarem tentando expulsar espíritos malignos – e essa é a única forma que julgam conseguir fazê-lo.

Vagarosamente, os psicólogos perceberam a importância da linguagem corporal nas doenças mentais. Uma experiência bem imaginativa revela o quão profunda a incapacidade de entender a linguagem corporal pode ser.

Sujeitos assistiram a um vídeo de corpos humanos em ação. Os corpos expressavam alegria ou tristeza. O vídeo foi, então, trabalhado de forma que nenhuma expressão facial ou forma corporal pudessem ser vistas. Os indivíduos filmados apareciam menos do que aqueles bonecos finos que as crianças desenham. Tudo o que era visto no vídeo eram pontos de luz que marcavam as articulações das pessoas conforme se moviam.

Informações esqueléticas, assim podemos dizer.

Então, os sujeitos foram solicitados a decidir se o movimento desses pontos de luz retratava alegria, tristeza ou outra emoção. Um movimento exuberante rápido e inquieto sugeriria alegria a um leitor normal da linguagem corporal. Mas aqueles sofrendo de esquizofrenia não conseguiam começar a decifrar o que esses movimentos significavam em termos de emoções; os outros sujeitos "normais" administraram isso muito bem.

Uma segunda experiência reforçou isso. Os sujeitos viam videoclipes de cenas sociais complexas, mas os rostos dos atores haviam sido apagados. Depois, os rostos eram recolocados. As pessoas normais entenderam o clima das cenas muito melhor ao verem os rostos dos atores. Mas as pessoas com esquizofrenia não tiveram um desempenho melhor quando os rostos foram recolocados.

"O teste do videoclipe mostrou que os pacientes esquizofrênicos têm problemas tanto em tirar proveito de informações extras transmitidas pelo rosto humano quanto em decifrar estímulos socialmente relevantes não transmitidos pela expressão facial", disse o psicólogo Sergio Paradiso (1999).

Pessoas com autismo enfrentam problemas ainda piores. Em seu inesperado *best-seller*, *The Curious Incident of the Dog in the Night-time* (*O estranho caso do cachorro morto*), Mark Haddon escreve do ponto de vista de um inteligente garoto autista.

Um dos problemas do garoto é que ele leva tudo ao pé da letra. E, embora seja um gênio no pensamento lógico e na resolução de equações, simplesmente não percebe nem compreende os aspectos mais básicos da linguagem corporal, como, por exemplo, o fato de o choro da mãe significar que ela está triste.

Não está claro por que as pessoas com problemas de saúde mental não leem bem a linguagem corporal. Mas a maioria das pessoas consegue. E se este livro pretende ensinar você a observar, você precisa de uma habilidade para se tornar um Mestre da Linguagem Corporal.

Como observar os outros – discretamente

Isso requer uma técnica básica, porém perspicaz. Nunca olhe muito tempo para quem estiver observando (isso pode incomodar a pessoa). Olhe em intervalos (Figura 1.7).

Figura 1.7 Observando os outros discretamente

Em tais situações – e durante a minha pesquisa para este livro eu observava muito as pessoas – eu virava a cabeça, mas continuava olhando meus "sujeitos" com o canto do olho. Vale a pena praticar esse truque.

2
Os fundamentos da linguagem corporal

Toda língua falada, desde o inglês padrão ao japonês do submundo, divide-se em substantivos, verbos, advérbios, adjetivos e frases. A linguagem corporal também tem seus fundamentos e sua gramática. Precisamos entendê-los.

Reflexo

Quero começar este capítulo tratando de algo que muitos de nós às vezes fazemos – consciente ou inconscientemente. Pesquisas recentes fizeram descobertas surpreendentes sobre como e por que "nos refletimos".

Figura 2.1 Reflexo ou eco postural

Vejo você cruzar os braços e, para mostrar a minha empatia, cruzo os braços também. Às vezes isso é chamado de eco postural (Figura 2.1).

Até o fim da década de 1970, os psicólogos pensavam que a habilidade de refletir só era encontrada em crianças de seis anos ou mais, quando elas já eram capazes de ponderar. Mas, então, alguém deparou-se com algo extraordinário.

Na década de 1980, os psicólogos espantaram-se ao descobrir que, se mostrassem a língua a um bebê de dois dias, era frequente que ele mostrasse a língua de volta. Julgava-se que os recém-nascidos fossem meros pacotes de reflexos capazes apenas de mamar e excretar. A descoberta de que eles eram capazes de imitar ações espantou os cientistas.

Exercício 2.1: Reflexo em bebês

Se tiver um bebê recém-nascido ou puder visitar um, ponha a língua para fora e veja o que acontece.

A conclusão foi clara: recém-nascidos eram capazes de prestar atenção aos olhos e rostos dos outros. Trinta anos atrás, os psicólogos não percebiam como o cérebro possibilitava isso. Os bebês não sabiam, é claro, mas estavam "usando" o que agora são chamados de neurônios-espelho. Foram descobertos (e Charles Darwin ficaria feliz de observar) em macacos.

Macaco vê, macaco faz – graças aos neurônios-espelho

Estudos em macacos descobriram que eles têm neurônios-espelho nos lobos frontais, que se situam acima dos olhos. Os lobos frontais estão envolvidos no planejamento, dentre outros.

Os neurônios-espelho disparam não somente quando os macacos realizam algumas atividades, mas também quando observam alguém realizar a mesma atividade. Um sistema similar de observação e correspondência de ações existe nos humanos. Quando eu vejo você cruzar os braços, circuitos neurais que me dizem para cruzar os meus braços começam a funcionar em meu cérebro. Ao ver alguém com raiva, magoado ou feliz, os seus neurônios-espelho ativam circuitos de raiva, mágoa ou felicidade no cérebro.

Um estudo recente na Alemanha por Andreas Hennenlotter (2005) investigou o que o cérebro faz quando sorrimos. Ele usou imagens do cérebro para ver o que acontecia quando sujeitos sorriam e quando as pessoas sorriam para eles. Os neurônios que começavam a funcionar quando alguém sorria para eles eram os mesmos neurônios que funcionavam quando os próprios sujeitos sorriam.

Entusiastas alegam que esses neurônios ajudam a explicar como administramos algumas habilidades muito surpreendentes, incluindo imitação, intuição, empatia e, de acordo com alguns, leitura da mente. Indivíduos com lesões nos lobos frontais podem ter muitos problemas com habilidades sociais que dependam de tais habilidades.

Exercício 2.2: Auto-observação

Quando estiver em casa uma noite com seu parceiro, amigos ou pais, reflita todas as posturas que eles exibirem e gestos que fizerem. Se eles cruzarem os braços, você cruza os seus. Se eles se inclinarem para frente, incline-se para frente.

Faça isso durante 15 minutos e tente contabilizar quantos dos gestos deles você reflete. Depois, pergunte se eles perceberam algo estranho sobre o seu comportamento.

A melhor resposta, é claro, é se eles não tiverem percebido nada. Se eles perceberam, você deve estar refletindo com pouca discrição. Você quer que eles sintam como você está sendo empático, mas sem perceber como você faz isso.

Alguns dos outros fundamentos da linguagem corporal são:

Expressão facial

O rosto humano é altamente expressivo. Geralmente, não é necessário dizer uma única palavra para que alguém entenda que você está triste, feliz ou assustado. Somos bons em reconhecer seis expressões emocionais básicas: felicidade, desagrado, tristeza, medo, raiva e surpresa (veja a Figura 2.4).

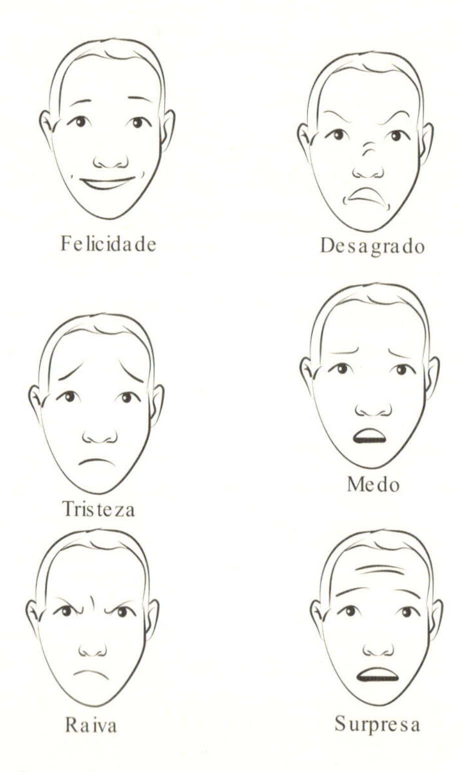

Figura 2.2 Seis expressões faciais básicas

Crianças normais conseguem ler o significado do olhar em um rosto a partir dos quatro anos ou antes. Quando completam cinco anos, também são boas fingidoras; sabem como parecerem felizes ou tristes, ainda que não se sintam assim (embora tendam a exagerar um pouco as expressões enquanto aprendem a enganar). Pode-se argumentar que as crianças têm de aprender isso – se fôssemos honestos o tempo todo, a vida seria ainda mais estressante. Então, nossos rostos nem sempre revelam o que sentimos. Um dos problemas com os quais as crianças autistas têm de conviver é que as pessoas têm dificuldade para reagir a crianças que sempre dizem a verdade literal.

Movimentos da cabeça

O ser humano, em média, balança a cabeça cem vezes por hora quando não está sozinho. Balançar a cabeça com consciência geralmente é dizer "sim", mas as ocorrências realmente interessantes são aquelas que as pessoas não necessariamente percebem. Elas sinalizam, por exemplo, que eu estou ouvindo você ou que eu gostaria de dizer algo agora.

Também houve muitas pesquisas sobre a origem do gesto negativo com a cabeça – que parece significar "não" em quase todas as culturas. Uma sugestão é que, quando os bebês já estão satisfeitos com o leite da mãe e não querem mais mamar, eles afastam a cabeça. É uma das primeiras ações sobre as quais o bebê tem controle e é assim que as pessoas aprendem a balançar a cabeça negativamente para dizer não.

Ângulo do corpo em relação aos outros

A forma pela qual uma pessoa posiciona o corpo em relação a outra é fundamental – pode ser aberta ou fechada, receptiva ou defensiva. Alegou-se que há basicamente oito formas pelas quais o corpo pode se posicionar em relação aos outros.

Exercício 2.3: Auto-observação

Que posição você assume ao sentar com alguém que ama?

Como essa posição muda se ele(a) disser alguma coisa que realmente incomode você?

Pense na última vez que você fez as pazes com alguém – como a posição dos seus corpos mudou no processo?

Uma das formas mais agradáveis de posicionar o seu corpo em relação a quem ama é ficar ao redor dela ou que ela fique ao seu redor (como o formato de uma colher). Não é à toa que uma colher lembra a posição fetal.

Muitas psicólogas ressaltam que os homens se esparramam e tomam mais espaço do que as mulheres. Uma posição típica masculina quando senta é com ambos os joelhos projetando-se para fora, enquanto as mulheres sentam-se com mais discrição (Figura 2.3).

Figura 2.3 A diferença entre os estilos de sentar masculino e feminino

Gestos das mãos

Os gestos são usados de inúmeras maneiras – para enfatizar algo que foi dito ou às vezes para substituir palavras. Mas também há momentos em que os gestos contradizem as palavras. Por exemplo, se alguém diz ter achado que um funcionário fez um bom trabalho e tamborila com os dedos na mesa ou, pior, rói as unhas, é melhor que ele fique atento. Esses sinais geralmente não são gestos animados de cordialidade, sugerindo insinceridade no elogio (Figura 2.4).

Figura 2.4 Gestos das mãos: tamborilar

A posição das palmas também é um sinal crítico. A palma aberta e voltada para cima sugere vulnerabilidade – e transmite um significado muito diferente de uma palma que se volta para baixo, principalmente o punho cerrado (Figura 2.5).

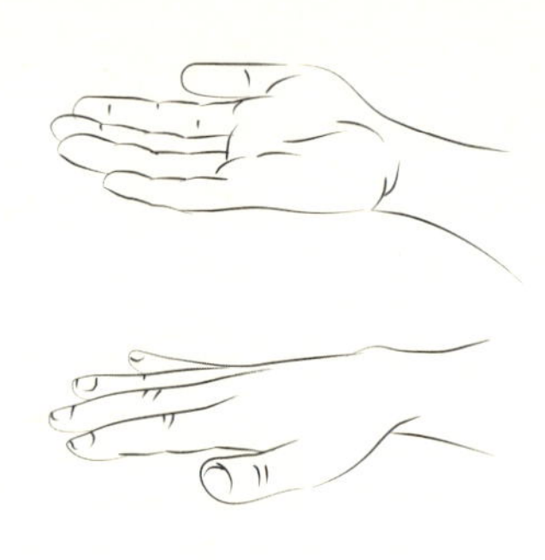

Figura 2.5 Gestos das mãos: palma para cima, palma para baixo e punho cerrado

Gestos e posições dos braços

Os gestos dos braços são maiores e mais explícitos do que os gestos das mãos.

Muita gente se sente desajeitada porque às vezes não sabe o que fazer com os braços. Uma solução é a real. O Príncipe Charles costuma colocar os braços atrás das costas ou as mãos nos bolsos, o que, obviamente, significa que ele não precisa se preocupar com o que fazer com as mãos ou braços (Figura 2.6). Mas a pose também pode sugerir que você está escondendo algo.

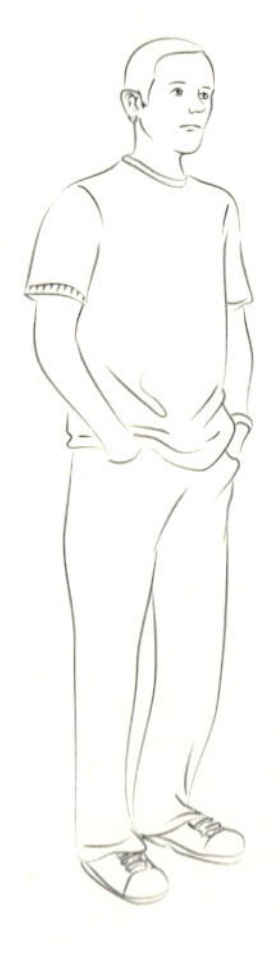

Figura 2.6 Posições dos braços: mãos nos bolsos

Costumamos usar nossos braços para incluir outras pessoas, mas também podemos usá-los para rejeitá-las. O braço ao redor do ombro diz: "Estou com você", ou "Quero proteger você". Cruzar os braços, porém, é um gesto defensivo, uma barreira que diz: "Não se aproxime".

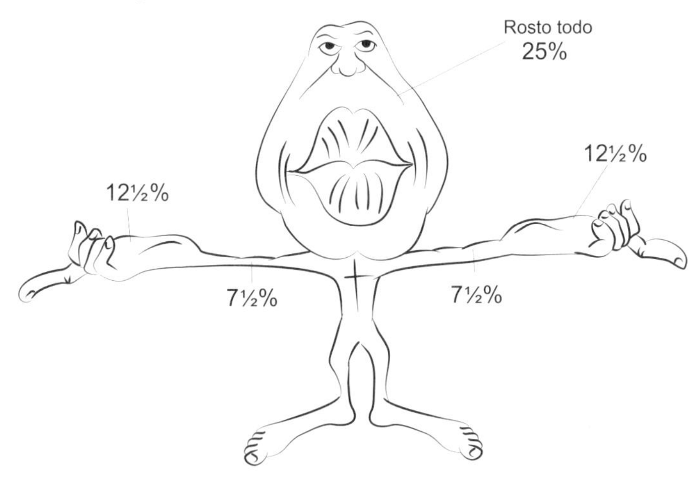

Figura 2.7 O homúnculo: porcentagem de espaço cerebral dedicado a partes do corpo

Movimentos de outras partes do corpo, como joelhos, tornozelos e pés, sofrem menos controle do que os movimentos dos braços e mãos. Um símbolo disso é a ilustração clássica chamada de homúnculo (Figura 2.7), que mostra quanto do espaço cerebral é dedicado aos diferentes membros. Observe o quanto é dedicado aos lábios, mãos e dedos.

Joelhos, pés e tornozelos

Temos menos consciência das pessoas olhando para essas extremidades para julgar o que sentem. Nossos joelhos e pés nem sempre estão transmitindo mensagens profundas, mas costumam indicar o quão nervoso alguém está.

Inclinar-se para frente enquanto se está sentado e apoiar as mãos nos joelhos é uma forma de se tocar ou buscar conforto. Também significa "Estou prestes a sair", de acordo com Desmond Morris, o autor de *The Naked Ape*. Veja a Figura 2.8.

As seguintes são posições dos pés muito comuns que as pessoas adotam sem necessariamente ter consciência:

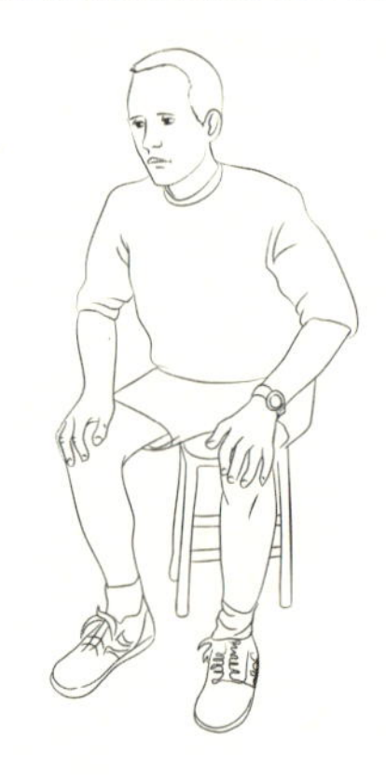

Figura 2.8 Apoiar as mãos nos joelhos

Figura 2.9 O envolvimento do tornozelo

- Os dedos dos pés estão estendidos em direção a outra pessoa ou voltados para dentro. A primeira posição essencialmente é um convite para interagir; a segunda é o oposto – um aviso para "deixar você em paz".
- Um pé está envolvendo o outro tornozelo (Figura 2.9). Esta posição sugere que você está ansioso e está se tocando parcialmente para reagir a tal ansiedade.
- Um pé está batendo. Pode ser um sinal de ansiedade, mas também pode forçar você a se concentrar ao criar tensão corporal.

Figura 2.10 Pernas cruzadas

Da próxima vez que você vir alguém com o tornozelo envolvido pela parte de trás do pé, pergunte se ele se lembra quando – e por que – fez isso. Provavelmente não.

Pernas cruzadas geralmente são uma postura defensiva (Figura 2.10) – assim como muitas instâncias em que nos tocamos.

Muitos desses toques são autoconfortantes ou autoprotetores. Se estou assustado, eu me abraço. Mas esses gestos também podem servir como sinais para "ficar alerta". As pessoas literalmente se beliscam. Os monges medievais flagelavam-se como penitência, mas isso também os mantinha alertas.

Contemplação e contato ocular

A maneira pela qual olhamos para as pessoas é profundamente reveladora. Nós encaramos? Olhamos rapidamente e depois desviamos? Por quanto tempo ficamos olhando?

O olhar sempre fascinou as pessoas. Tábuas de barro sumérias de 3000 a.C. contam como Ereshkigal, deusa do submundo, teve o poder de matar Inanna, deusa do amor, com o olho da morte. De maneira menos dramática, em nossos dias o contato ocular é assunto de muita pesquisa.

Códigos sociais do olhar

Os seis músculos que cooperam para movimentar cada um dos globos oculares são antigos e comuns a todos os vertebrados; os nervos de tais músculos estão ligados ao inconsciente, assim como às partes pensantes de nosso cérebro. Então, nosso olhar, às vezes, pode muito bem dizer mais do que pretendemos!

Nosso "comportamento de contemplação" – incluindo o tempo que podemos olhar para outra pessoa – tende a ser regulado por nossa cultura. De forma geral, nas culturas ocidentais, se você olhar pouco, poderá ser considerado evasivo ou enganoso; se olhar muito, poderá ser considerado autoritário. Tendemos a nos sentir confortáveis se o olhar do outro encontrar o nosso durante 60-70% do tempo – mais do que isso e criamos a impressão de interesse extraespecial. Por que mais os apaixonados olham-se nos olhos? Se você fizer contato ocular por menos de um terço do tempo em que está com alguém, é provável que a sua companhia suspeite que você está escondendo algo ou que é desonesto.

Figura 2.11 O olhar autoritário

Em algumas culturas, é normal que as pessoas façam mais contato ocular do que no Ocidente. Na Arábia, América Latina e sul da Europa – todas rotuladas culturas de "contato" – as pessoas tendem a olhar mais do que os britânicos ou americanos brancos. Nessas culturas de contato, olhar pouco é visto como insincero, desonesto ou deselegante, enquanto, nas culturas de não contato, olhar muito ("encarar") pode ser visto como ameaçador, desrespeitoso e ofensivo (ARGYLE, 1975).

Encarar também pode ser interpretado como sinal de dominação, enquanto desviar o olhar ou evitar contato ocular podem ser vistos como submissão. Isso pode ter se originado do comportamento primitivo, em que o olhar firme é uma tática de dominação. O sociólogo Erving Goffman (1989) descreveu um exemplo extremo disso: o "encarar cheio de ódio" contínuo.

Aqueles que você encara por muito tempo geralmente interpretam isso como não apenas deliberado, mas uma violação agressiva das regras normais de olhar (Figura 2.11).

Continuando o tema da dominação no olhar – ou quem tem o direito de olhar –, alguns pesquisadores descrevem o olhar "colonial" ou olhar "turístico", que parece ser uma forma objetiva e potencialmente autoritária de olhar para alguém ou algo que você possa querer reivindicar. Jonathan Schroeder, da Universidade de Exeter (1998), comenta que "os exploradores olham para as terras recém-descobertas como recursos coloniais".

Fechar os olhos enquanto fala ou tremelicar constantemente as pálpebras para dar um efeito de pálpebra fechada costuma ser desconcertante àqueles que estão ouvindo você (Figura 2.12). Parece que você está mantendo o ouvinte fora da sua consciência e também pode indicar que você não está dizendo a verdade. Pode ser que você faça isso por hábito e não tenha consciência disso, mas o impacto é muito negativo. Fechar os olhos enquanto se fala com alguém não é um dos gestos visuais mais simpáticos.

Figura 2.12 Tremelicar das pálpebras

Na outra extremidade, a atração pode estar diretamente relacionada ao tamanho das pupilas de alguém. Estudos mostraram que as pessoas, especialmente as mulheres, são consideradas mais atraentes se suas pupilas estiverem mais dilatadas do que o normal (Figura 2.13). Em algumas culturas, usava-se e ainda se usa beladona para aumentar as pupilas.

Também se diz que o olhar transmite a orientação sexual. Alguns *gays* alegam reconhecerem-se por um olhar especial, descrito "não apenas como prolongado, mas também como um exame visual" pelo autor Patrick Higgins, em seu livro *A Queer Reader* (1993).

Os psicólogos regularmente filmam encontros, a forma pela qual pais e filhos se comportam e o que as pessoas fazem no primeiro encontro para estudar o que o contato ocular revela. Câmeras de vídeo agora possibilitam rastrear minuciosamente o lugar para onde as pessoas olham. E às vezes elas olham para o próprio corpo ou partes dele.

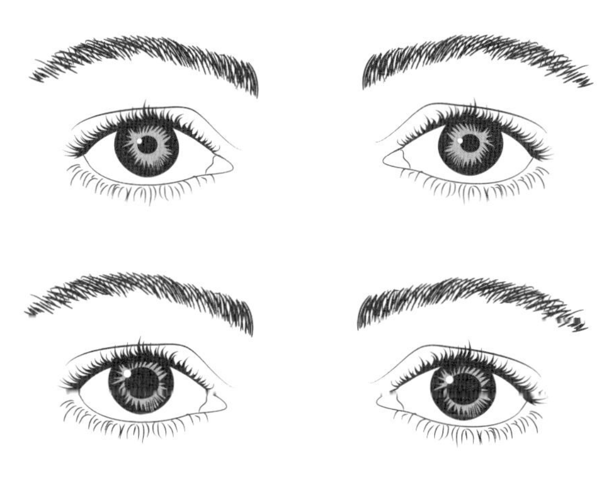

Figura 2.13 Os olhos: tamanho das pupilas

Esse "auto-olhar" é muito revelador, especialmente quando os olhares são muito rápidos, já que costumam ser inconscientes. Os olhares são sinais de ansiedade, como se as pessoas estivessem analisando se ainda estão lá e existem. O olhar consciente no espelho é bem diferente.

Algumas escolas de terapia, como a Programação Neurolinguística, alegam que o lugar para onde alguém olha revela muito sobre o que ele(a) está pensando – uma afirmação que analisarei no capítulo 9.

Tiques e dispersão

Não costumamos estar conscientes do que fazemos. Eu penso estar olhando intencionalmente para você, mas, ao mesmo tempo, também estou coçando a minha bochecha e ajeitando a gravata. Ambos são perfeitamente aceitáveis, mas às vezes sugerem ansiedades subjacentes. As mulheres costumam mexer no cabelo e jogá-lo para trás (Figura 2.14). Às vezes tornamo-nos incapazes de controlar determinados tiques e atividades dispersivas, que podem se tornar altamente aflitivos.

E, como eu já mencionei, as atividades dispersivas costumam resultar de estresse ou ambivalência: eu puxo a linha do meu terno porque estou muito excitado e preciso fazer algo: quero segurar a sua mão, mas tenho medo de ser rejeitado.

Figura 2.14 Uma atividade dispersiva: jogar o cabelo

Histórico de caso

Um bom exemplo de atividade dispersiva foi dado em uma entrevista com Niko Tinbergen, behaviorista animal vencedor do prêmio Nobel. Tinbergen me disse:

> Quando a minha filha começou a bocejar compulsivamente, o médico da nossa família disse, "Ela parece estar muito cansada", e eu tive de explicar a ele que ela estava muito assustada – é uma atividade dispersiva muito comum, como coçar-se ou roer as unhas quando se está sob estresse leve (COHEN, 1977).

Exercício 2.4: Auto-observação

Que tiques você tem?

Escreva seis das coisas que você faz quando está ansioso.

Pergunte a alguém próximo quantos ele(a) percebe.

Você quer mudá-los? Você pode – elaborando o que são e desenvolvendo uma rotina de treinamento para que eles parem de ser as suas respostas inconscientes normais.

Espero ter esclarecido que esses fundamentos da linguagem corporal suscitam um dilema. Como saber se alguém realmente sente o que diz? Ou, de forma mais poética,

Você sorri

Será que é isso?

Estou certo de que

Você quer saber

O mesmo de mim.

O meu "poema" foi inspirado em um livro escrito por R.D. Laing, um famoso psiquiatra das décadas de 1960 e 1970. Em

Knots (Laços) (1970), ele explora o emaranhado das relações humanas em tais versos – e sempre volta à grande questão:

- Como eu sei o que você está pensando?

E as mais obcecadas com o próprio eu:

- Como eu sei o que você está pensando sobre mim?
- Estou revelando coisas com a minha linguagem corporal que eu não queira revelar?
- Se eu estou revelando ansiedades, fraquezas e impulsos secretos, o que posso fazer para mudar o jeito pelo qual "deixo vazar" pistas? ("Vazar" não é uma forma muito elegante de expressar isso. Mas é, como vimos, o jargão usado pelos psicólogos.)

A dúvida sobre o que alguém pensa a seu respeito começa no momento em que você o encontra.

3
Primeiras impressões

Ao entrar em um recinto, que impressões você causa? As pessoas olham para você e pensam: "Ele é confiante"? Ou pensam: "Pobre criatura patética"? Ou, pior ainda, eles nem sequer notam você?

Em 1979, um psicólogo americano, Robert Zajonc, publicou uma teoria de *cognições quentes*; ele afirma que fazemos julgamentos quase instantâneos quando encontramos pessoas novas. Dentro de três segundos após conhecer alguém novo, decidimos se gostamos dele(a) ou não. A nossa resposta não é tanto uma avaliação racional, mas emocional – às vezes chamamos isso de química. Mas o que dispara essa química é menos evidente.

Pesquisas com o cérebro mostram a rapidez com que essa reação química acontece. Leva cerca de 400 milissegundos para detonar uma resposta – positiva ou negativa! Inicialmente, Zajonc afirma não haver nada que possamos fazer para afetar as cognições quentes que alguém tem de nós. Mas isso mudou depois de termos descoberto mais e mais o que gera primeiras impressões boas e más.

Exercício 3.1: Auto-observação

Você tem um encontro amoroso. O que você faz?

A ansiedade faz você parar, avaliar-se e reavaliar-se?

Você se ressente com a sua preocupação?

Ou você se acha bem do jeito que está – e se ele(a) gostar de você, não fará diferença?

No passado, somente as mulheres demoravam se maquiando e arrumando. Mas, nos últimos 15 anos, os homens também começaram a se embelezar, então agora há uma grande indústria voltada para produtos masculinos de beleza. Somos infinitamente neuróticos sobre a própria aparência, mas, felizmente, sempre há especialistas dispostos a ajudar.

Criadores de imagem

Michelle T. Sterling fundou o Global Image Group, que ajuda "os clientes a criar uma primeira impressão e identidade comercial fortes através do desenvolvimento de vestuário e da imagem, comunicação, etiqueta e habilidades de protocolo". Ela afirma que todos nós somos uma "marca" e acrescenta:

> As pessoas avaliam a sua aparência visual e comportamental dos pés à cabeça. Observam a sua conduta, maneirismos, linguagem corporal e até mesmo a sua produção e acessórios – relógio, bolsa e pasta. Em apenas três segundos, você causa uma impressão indelével. Você pode fascinar alguns e desagradar outros. Depois que a primeira impressão é causada, é praticamente irreversível.

Mas há esperança, diz Sterling:

> É possível aprender a causar uma primeira impressão positiva e duradoura, modificá-la para se adequar a qualquer situação e vencer. Para isso, é preciso avaliar e identificar a sua personalidade, aparência física, estilo de vida e metas.

Não prometo que este livro transformará você em uma marca global, mas ao menos deve conscientizá-lo sobre algumas maneiras que podem prejudicá-lo – e ajudará você a corrigir suas falhas.

Aprume-se e conquiste

Considere estas duas descrições:

Ela entrou na sala, os ombros eretos, e sorriu.

Ele arrastou-se até a sala e se afundou em uma cadeira lá no canto.

Formamos imagens dessas duas pessoas rapidamente – parcialmente porque associamos a postura à personalidade e à autoconfiança.

O primeiro elemento da "boa" linguagem corporal é conhecido há séculos. Na Roma Antiga, os soldados eram ensinados a manter uma postura ereta e aprumada. Se você andasse desengonçado, o centurião gritava da mesma maneira que o sargento de hoje, 2000 anos depois.

A ideia de que a postura ereta transmite autoconfiança, segurança e bom caráter está fortemente arraigada nos seres humanos. Isso provém de nossa herança animal. O animal que se mantém mais ereto no grupo geralmente é o líder.

Os homens têm muita consciência da própria altura e podem ficar preocupados a respeito, porque acreditam que as mulheres preferem homens com estatura acima da média. Em novembro de 2006, uma rápida olhada na seção *Lonely Hearts*, do *Sunday Telegraph*, detectava que a primeira palavra que os homens usavam na maioria das vezes para se descreverem não era *sexy*, inteligente ou charmoso, mas ALTO.

O mesmo acontecia no *The Times* de 17 de novembro de 2006. Doze dos 39 homens à procura de uma mulher diziam ser altos, altos e bonitos, altos e interessantes ou altos e honestos. Ser alto é tudo.

Figura 3.1 Uma pessoa confiante

Até pouco tempo, os homens baixos estavam condenados. Poucas coisas parecem tão ridículas quanto homens usando sapatos de salto alto – mas agora a nova tecnologia na área de sapatos oferece esperança. Na internet, é possível comprar palmilhas que aumentam a estatura ou sapatos feitos sob medida, com o mesmo objetivo. Ninguém percebe que eles estão aumentando a sua estatura. Eles forçam você a andar na ponta dos pés e podem aumentar a estatura de 8 a 10cm. Mas, se você não quiser disfarçar com sapatos sofisticados, ao menos assegure-se de assumir uma postura aprumada e erguida.

Quando alguém confiante entra em um recinto, ele(a) olha em volta para avaliar a situação (Figura 3.1, página 62). Indivíduos socialmente hábeis dão uma pequena pausa e seguem em uma direção definida. Então, conseguem se inserir em um grupo sem parecerem invasivos.

Decida a que grupo você se dirigirá. Depois de ter decidido, não hesite.

Encontre entre as pessoas um espaço onde você possa se encaixar. Se não houver espaço à vista, circule pela borda do grupo. Posicione os seus pés de forma que eles abram um discreto espaço. Depois, gradualmente, você pode se apresentar ao círculo. Isso pode ser feito de duas maneiras:

1 Sem dizer nada, entrando com um ombro e movendo os pés (Figura 3.2).

2 Dizendo algo para anunciar a sua presença; o grupo só o rejeitará se for muito mal-educado.

Figura 3.2 Entrando em uma conversa

É muito mais difícil inserir-se em um grupo se a sua postura não mostrar confiança, porque você não inserirá os seus ombros e pés no círculo com tanta facilidade.

Dica

Se estiver inseguro sobre como fazer isso, você pode praticar com um ou dois amigos; a arte de inserir os ombros é sutil.

A descoberta mais sólida é simples e não causa surpresa. Alguém de pé demonstra maior dominância do que alguém sentado. A altura faz diferença, mas a maneira de sentar também.

O homem na Figura 3.3 está sentado afundado em si mesmo, sem olhar para nada nem ninguém. A postura sugere depressão e falta de confiança.

Figura 3.3 Postura que sugere falta de confiança

Às vezes, porém, a postura pode revelar que alguém é um preguiçoso com excesso de confiança. É quase certo que o homem que coloca os pés sobre a mesa tem um ego inflado e é muito possessivo em relação ao seu território. Essa pose diz: "Sou dono disto tudo e não me importo se pareço grosseiro". Não faça isso. E fique de olho em quem faça e naquela alma um pouco menos agressiva que põe a perna sobre uma cadeira enquanto conversa com você.

Para testar se a sua postura é boa, você tem de estar preparado para ser autocrítico no espelho.

Exercício 3.2: Auto-observação – o teste "olhe-se no espelho"

Fique apenas de roupa íntima. Fique de frente para um espelho grande.

- Respire fundo. Feche os olhos. Conte até dez. Abra os olhos.
- Concentre-se na sua imagem no espelho.
- A primeira coisa que você deve observar é: eu estou ereto? Vire e veja-se de perfil, já que esta é a melhor posição para julgar se você está ereto.
- Veja o ângulo da sua cabeça. É alto ou inclinado, escorregando para os ombros? Se estiver escorregando, estique-se até ficar reto.
- Um teste crucial para saber como está a postura parece coisa de escola de balé: coloque um livro sobre a cabeça. Ele cai imediatamente? Ou primeiro você consegue mantê-lo equilibrado na cabeça quando fica parado? Se conseguir, tente dar dois passos, depois cinco, sem deixar o livro cair.

Se conseguir dar cinco passos sem o livro cair, você está realmente ereto.

Dica

Em um relacionamento, vocês podem se observar – e cronometrar quem consegue manter o livro na cabeça por mais tempo.

Mas não faça isso com objetos pesados. Uma amiga minha tentou carregar um pote de água na cabeça depois de assistir a um filme sobre as mulheres africanas, que fazem isso o tempo todo. Ela ficou com problemas na coluna e precisou fazer fisioterapia durante nove meses. Limite-se aos livros.

A postura ajuda a criar as cognições quentes de Zajonc (1979). Alguém sem aprumo é visto como menos confiante, e as pessoas com depressão tendem a ter menos aprumo. Ficar ereto não apenas criará uma boa aparência, mas fará você se sentir bem. O escritor de ficção científica Brian Aldiss, escrevendo no *The Times* para celebrar o seu 80° aniversário em 2005, disse que ainda gostava de andar ereto quando saía às compras. Sempre melhorava seu ânimo.

Às vezes homens e mulheres incrementam a altura com a maneira de arrumar o cabelo.

O visual com cabelos exuberantes

Nos mamíferos em geral, o cabelo limpo é um sinal de boa condição, saúde e cuidado. Assim como os pássaros alisam as penas e os leões exibem a juba, os humanos usam o cabelo como parte da aparência.

As pessoas fazem isso há milhares de anos. As mulheres ricas no Reino Médio do Egito gostavam de perucas grandes e atavam seus cachos com fitas de prata ou linho que depois eram enfeitadas com joias. A rainha francesa Maria Antonieta lançou o penteado bufante. O cabelo *punk* é menos bufante, mas ainda mais colorido e, à sua maneira, exuberante.

Os psicólogos observaram que as mulheres marcam mudanças no estilo de vida e carreira com diferentes penteados, de acordo com Grant McCracken, no seu livro de 1997, *Big Hair: A Journey into the Transformation of Self*. O seu cabelo também sinaliza alguns aspectos da sua personalidade, de acordo com um estudo da Procter & Gamble feito por Marianne LaFrance, de Yale, em 2000. Ela constatou que, ao menos nos Estados Unidos, o tipo de cabelo desempenha um papel importante nas primeiras impressões. Na mulher, o cabelo curto e desalinhado transmite confiança e temperamento extrovertido, mas não sugere que ela seja *sexy*. Um corte médio e simples sugere inteligência e bom caráter, enquanto um cabelo longo, liso e louro projeta sexualidade e afluência. E deixar as raízes à mostra transmite a ideia de depressão.

Dica

Se você se sentir mal, arrume o cabelo – e faça as unhas.

A próxima barreira nos domínios da primeira impressão é a maneira de cumprimentar alguém.

Cumprimentos, apertos de mão e beijo social

Observe quando as pessoas chegam a algum evento: depois que o anfitrião e os convidados se abraçam, eles se afastam e um ou ambos sempre olha(m) em outra direção. O antropólogo Adam Kendon (1994) chama isso de "corte" e considera que possa ser um mecanismo para a manutenção do equilíbrio, assim como F. Davis:

> Todos os relacionamentos, exceto os muito recentes, têm seu próprio nível usual de intimidade e, se um cumprimento for mais íntimo do que o relacionamento estabelece, algum tipo de corte é necessário depois para que tudo volte ao normal rapidamente (Davis, 1971: 46).

Uma teoria afirma que as primeiras pessoas a apertar as mãos eram das tribos do Iêmen, na extremidade sul da Península Arábica. Conforme o islamismo se espalhava, a prática crescia.

No Novo Testamento, porém, São Paulo menciona em Gálatas que, quando visitou Jerusalém e encontrou Tiago, Cefas (Pedro) e João, cada um deu a ele "a mão direita da amizade". Se a Bíblia estiver certa sobre a linguagem corporal, isso sugeriria que gregos e romanos estavam apertando as mãos como pacto muito antes de o islamismo ter começado.

Outra teoria alega que os homens apertavam as mãos porque eles não conseguiriam fazê-lo se estivessem segurando uma espada, lança ou arma de fogo. Na Idade Média, quando os cavaleiros estavam sempre se ferindo, oferecer a mão aberta mostrava que você veio em paz e não estava ocultando uma arma (Figura 3.4).

Figura 3.4 Dois cavaleiros apertam as mãos

Mas, onde quer que o aperto de mão tenha começado, parece ter saído de moda em 1660. Em 1662, o diarista Samuel Pepys referiu-se ao aperto de mão como um costume novo. O seu diário de sábado, 15 de fevereiro de 1662, diz:

> Com os dois Sir Williams até a Trinity-house; e lá em sua sociedade debateram o

> assunto da casa de Sir Nicholas Crisp, em Deptford. Depois o jantar e, após o jantar, eu fui sagrado Irmão mais Novo; Sir W. Rider, Mestre Substituto do Senhor de Sandwich; e, depois que eu fui sagrado, todos os Irmãos mais Velhos apertam a minha mão: é costume deles, parece.

Se era "costume deles, parece", o aperto de mão dificilmente seria usual.

Os Quakers também introduziram o aperto de mão em sua comunidade por volta de 1660, pois sentiam que era mais igualitário e menos floreado do que os usuais acenos de cabeça, curvejos e salamaleques. O segundo presidente americano, Thomas Jefferson, que entrou na Casa Branca em 1797, encorajava o aperto de mão por motivos similares.

O bom aperto

Hoje, o aperto de mão é um gesto universal desde Tóquio até Tottenham. Os japoneses costumavam curvar-se para se apresentar, mas, como foram se ocidentalizando, apertam mais as mãos. Mas o aperto de mão não é tão simples como parece, porque um aperto errado sugere uma personalidade defeituosa.

Caudillo (2002), uma psicóloga que fez do aperto de mão seu objeto de estudo durante toda a vida, argumenta que, se oferecer um aperto de mão frouxo, é provável que você seja visto como inseguro e não confiável. Aqueles que apertam a mão de maneira plena e firme (Figura 3.5a) serão julgados mais extrovertidos, mais abertos a novas experiências, mais conscientes e mais agradáveis. As mulheres que apertam a mão com mais vigor são consideradas mais inteligentes.

Caudillo ressalta, por exemplo, que os enfermeiros devem saber como apertar bem as mãos, tanto para incentivar os pacientes quanto para estabelecer sua própria condição profissional. Um bom aperto também requer contato ocular firme. Você deve olhar a pessoa cuja mão está apertando diretamente nos olhos, mas sem olhar com muita firmeza.

Exercício 3.3: Auto-observação

Anote o que você considera perturbador quando alguém aperta a sua mão.

Ao apertar as mãos, a posição da palma revela muito sobre a condição diferente dos que se cumprimentam. Na Figura 3.5(b), uma palma cobre a outra. É a posição de poder. Na Figura 3.5(c), o homem está expondo o traço "vulnerável" dentro da sua palma.

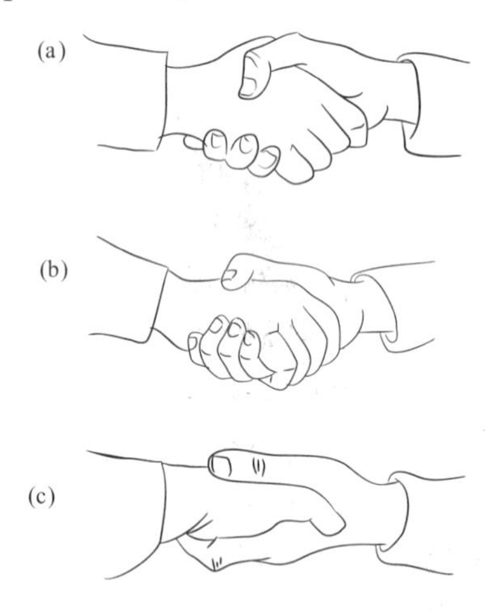

Figura 3.5 Diferentes tipos de apertos de mão

A conhecida saudação nazista era a palma para baixo, sinalizando a obsessão por poder e controle. O extremo oposto é Roderick Spode, um ditador ridículo inventado pelo escritor cômico inglês P.G. Wodehouse. Spode é um total fracasso como líder. E qual é o movimento do seu cumprimento? O cumprimento de Spode tem a palma apontada para cima – e não para baixo. Ninguém desejando ser visto como um homem forte deve posicionar as palmas em uma posição em que outra pessoa possa derrubá-lo.

O cumprimento *high five*[1] é interessante, já que ambas as partes mantêm as palmas na vertical de forma que ninguém domine.

É preciso evitar outras armadilhas. Caudillo (2002) desaconselha o aperto de mão com as duas mãos; usar a outra mão para cobrir as mãos entrelaçadas pode ser simpático, mas pode ser mal interpretado como "maternal, controlador ou muito íntimo". Uma exceção a essa regra, entretanto, é quando existe uma grande distância de níveis entre os que se cumprimentam. Bill Clinton é famoso por cumprimentar usando as duas mãos e isso é sempre visto como um sinal de que ele se preocupa com as pessoas "comuns". As pessoas se sentiam lisonjeadas se o Presidente dos Estados Unidos demorasse o contato físico com elas. Mas se alguém "normal" colocar a mão livre sobre os ombros da outra pessoa ou apertar o seu antebraço, ele está invadindo o "espaço pessoal" da outra pessoa, o que pode desagradar.

Em um aparte divertido, Caudillo aconselha as pessoas que sofrem com as palmas suadas a manter um lenço por perto e secar as mãos antes de cumprimentar.

---

1. *High five* é um cumprimento em que uma pessoa ergue uma de suas palmas e bate na palma de outra pessoa. Os braços se erguem, formando a parte alta (*high*) e os cinco dedos de cada mão se encontram, fazendo um "cinco" (*five*) (N.T.).

A questão do tempo para manter o aperto de mão também é objeto de pesquisa. Soltar muito rápido sugere que você acha que a mão da outra pessoa está suja e que você não quer apertá-la. Segurar muito tempo dá a impressão de estar invadindo o espaço do outro. A perfeita duração para segurar a mão do outro é de 2,7 segundos, de acordo com Caudillo.

Cumprimentos e personalidade

Os seus movimentos também transmitem impressões sobre a sua personalidade. As pessoas que fazem movimentos fortes e definidos são vistas como mais dominantes. Também consideramos as pessoas mais dominantes se elas gesticularem mais, fizerem mais contato ocular e demonstrarem maior animação no semblante. A Tabela 3.1 mostra isso com clareza.

Tabela 3.1 Diferenças entre dominantes e submissos

Parecer dominante	*Parecer fraco*
Fazer movimentos definitivos.	Vestir mais roupas.
Tornar esses movimentos forçosos.	Fazer gestos menores.
Manter contato ocular.	Mais gestos com as mãos e os tornozelos.
Animação no rosto.	Inexpressividade.

Mulheres submissas também tendem a ficar na mesma postura por mais tempo, enquanto as mulheres que se mexem mais são vistas como dominantes.

Exercício 3.4: Auto-observação

Cronometre o seu aperto de mão. Se perceber que é muito rápido, pode estar refletindo a sua ansiedade. Pratique até fazê-lo automaticamente por cerca de 2,7 segundos.

Depois, se quiser parecer mais forte, pratique com gestos mais dramáticos e, especialmente, balançando a parte inferior da perna – embora a polícia tenha alegado com frequência que a tensão de estar sob suspeita leva os culpados a mexer nervosamente e balançar a parte inferior da perna.

Mas a personalidade não é apenas uma questão do quão forte ou fraco o seu aperto de mão faça você parecer.

O psicólogo britânico Hans Eysenck (1973) afirma que as pessoas poderiam ser posicionadas em uma sequência de extroversão e introversão. Ele desenvolveu o Inventário da Personalidade Eysenck, que inclui perguntas como:

- Você gosta de ir a festas?
- Às vezes você se sente deprimido sem motivo aparente?
- Você costuma ter a iniciativa de tocar no outro?

O Inventário da Personalidade Eysenck mostrou-se confiável por mais de 40 anos. Muitos de nós podem ser rotulados como extrovertidos ou introvertidos. E há diferenças significativas entre os dois. Os introvertidos são mais tímidos e ansiosos; eles não saem por aí dando tapinhas nas costas dos outros porque são mais inibidos no contato físico.

Se você for introvertido, provavelmente

1 não será o primeiro a oferecer a mão;

2 permitirá que alguém coloque a palma sobre a sua;

3 desejará retirar a sua mão antes porque o contato soa muito invasivo;

4 ficará preocupado se o seu aperto de mão é firme o suficiente.

Os extrovertidos, por outro lado, não se questionarão, mas poderão comportar-se de outras maneiras incômodas. Por exemplo, eles poderão sacudir a sua mão para cima e para baixo e não soltar durante muito tempo depois dos "perfeitos" 2,7 segundos de Caudillo.

Exercício 3.5: Auto-observação

Para saber se você é introvertido ou extrovertido, veja estas 16 perguntas. Circule a resposta que mais se aproxime de você.

1 Você fica mais feliz quando se envolve em algum projeto que requeira ação imediata?

Sim Talvez Não

2 Ao subir escadas, você costuma subir de dois em dois degraus?

Sim Não Talvez

3 Você come tão rápido que geralmente termina a sua refeição antes de todos?

Sim Não Talvez

4 Quando você dirige, o tráfego lento o deixa nervoso?

Sim Não Talvez

5 Você gosta de marcar atividades de lazer?

Sim Talvez Não

6 Um novo projeto é apresentado a você. É provável que você odeie ter de lidar com algo novo?

Sim Talvez Não

7 Quando você anda com outras pessoas, elas têm dificuldade em acompanhar o seu ritmo?

Não Sim Talvez

8 Você corre apressado de uma atividade a outra sem parar para descansar?

Sim Talvez Não

9 Você costuma sentir que não pode ser perturbado ao fazer as coisas?

Talvez Não Sim

10 Quando você precisa conhecer gente nova, tem medo daqueles horríveis rituais de apresentação?

Não Sim Talvez

11 Você considera férias horríveis aquelas em que, todos os dias, você tem de sair e admirar um novo lugar que nenhum turista poderia perder?

Não Sim Talvez

12 Você acha que costuma ficar ansioso sem nenhum motivo?

Não Sim Talvez

13 Você costuma acordar radiante e ansioso para levantar?

Sim Talvez Não

14 Os outros parecem mais sociáveis do que você?

Sim Talvez Não

15 Se eles parecem mais sociáveis, isso preocupa você?

Não Sim Talvez

16 Você fica agitado quando espera alguém?

Sim Às vezes Não

✓ Respostas

Os extrovertidos responderão *sim* às perguntas 1, 2, 3, 4, 5, 7, 8 e 13.

Os introvertidos responderão *sim* às perguntas 6, 9, 10, 11, 12, 14, 15 e 16.

- Marque 2E para cada *sim* nas perguntas de extrovertidos e 1E para cada Talvez.
- Marque 2N para cada *sim* nas perguntas de introvertidos e 1E para cada *talvez*.
- O total mais alto do extrovertido será 16.
- O total mais alto do introvertido também será 16.
- Se totalizar mais de 10, você é altamente extrovertido ou introvertido.
- De 6 a 10, você está em nível médio.
- De 0 a 4, o seu total é baixo.
- É improvável, mas não é impossível, que alguém totalize muito tanto em extroversão quanto em introversão. Estas pessoas cumprimentarão

os outros de forma calorosa e se comportarão de maneira muito confiante e expansiva, mas também se sentirão ansiosas sobre tal comportamento. Poderá parecer uma encenação e a sua linguagem corporal poderá ir de um extremo a outro. Então, se você for assim, aprender a relaxar e desacelerar pode ser uma atitude sensata.

Beijo social

Na sociedade elegante, os homens costumavam beijar os dedos das mulheres em vez de apertar suas mãos. Mas agora, no Reino Unido, quando homens e mulheres, e mulheres e mulheres, se encontram, costumam se beijar, especialmente se forem de classe média. Não são beijos apaixonados, mas sociais, em que a pele de ambos raramente se toca; às vezes pode haver um leve roçar de lábios na bochecha.

Os sexos começaram a se beijar socialmente na década de 1920, a era do jazz e grandes bandas de dança. Os conservadores temiam que isso levasse a orgias desenfreadas, então todos tinham de se conter e restringir. A melhor maneira era beijar sem realmente beijar, o que é uma boa definição de beijo social. Tocar rapidamente a bochecha de alguém com seus lábios é algo íntimo, mas, ao menos teoricamente, não é sexual.

No *Boston Globe* de setembro de 2006, o escritor Daniel Akst alertava, porém, que "beijos de boas-vindas e despedida com certeza são mais perigosos do que um aperto de mão, e todo esse negócio de beijo e bochechas unidas pode se tornar terrivelmente embaraçoso".

Akst acrescenta:

> Em jantares, eu saio deste minueto desconfortável sentindo que, de alguma forma, eu me saí mal ou fui atingido. Um malabarismo social tanto para homens quanto mulheres, toda essa negociação complexa é uma metáfora perfeita para a refinada dança de

> autodomínio que todos nós devemos bailar em nossa sociedade implacavelmente mista, multiétnica e hipersensível. É uma prova, em outras palavras.

Desconfio que Akst odeie o beijo social em parte porque ele é muito introvertido.

A prova para o beijador social é mostrar que é possível chegar perto sem ficar íntimo. Afinal de contas, o beijo social acontece em público, não na privacidade do seu quarto. "Reflete a necessidade de parecer natural e relaxado o tempo todo", observa Akst, "muito embora, é claro, a falta de constrangimento é, por si mesma, inteiramente constrangida (e é por isso que temos o beijo social em vez de afeto social)".

Akst alega que o beijo social é uma "válvula de escape social". Ele disse, talvez um pouco dramaticamente, que é "infidelidade regulada – como o *bundling* entre os puritanos, criado como imunização contra o namoro, e não para promovê-lo". *Bundling* era a prática pela qual os jovens puritanos solteiros dividiam a cama, mas não podiam se tocar; eles eram colocados em uma situação íntima, mas nenhuma intimidade deveria acontecer porque a Bíblia proibia.

Akst observa:

> Os humanos não foram feitos para ficar muito tempo na companhia de membros do sexo oposto que não sejam seus cônjuges, que se arrumam antes de ir para o trabalho e que inevitavelmente desenvolvem algum nível de intimidade conosco. As pessoas precisam de algum sistema socialmente sancionado para construir imunidade em relação ao outro.

E o beijo social propicia esse sistema, porque tem regras rígidas. Quando encontramos pessoas do sexo oposto em nossa sociedade livre e solta, ou estressada, é comum termos o máximo de tentação e o máximo de oportunidade. Então, precisamos de limites – e as regras do beijo social propiciam isso.

Ao dar um beijo romântico, você olha a pessoa nos olhos. Ao cumprimentar alguém com um beijo social, geralmente você acaba olhando para a orelha dele(a) (Figura 3.6).

Figura 3.6 Beijo social

Dica

Então, é prudente seguir estas regras:

1 Socialmente, não beije na boca.

2 O beijo deve ser rápido. Um beijo na bochecha de mais de 1,5 segundo sugere que ao menos um de vocês tem planos mais íntimos em mente.

3 Não incline o corpo sobre o corpo do outro – o que você faria em um beijo normal.

4 Não abrace a pessoa que você está beijando. É muito forçoso.

5 Não beije no nariz, pois isso é muito lúdico e íntimo.

6 No beijo social, cuidado para não mordiscar a orelha!

Agora você pode praticar o beijo social com quem quiser!

Linguagem corporal de gangues

Os estudos sobre linguagem corporal também ressaltam a diversidade entre culturas diferentes, como veremos no capítulo 11. O princípio também se aplica a subculturas particulares.

Manter a postura aprumada não é a forma de mostrar que se está confiante em certos grupos sociais. As gangues de Peckham – e até de Moscou – não são conhecidas pela postura militar, mas têm a própria linguagem corporal e posturas para transmitir confiança.

No próximo capítulo, tratarei do espaço pessoal e como podemos usar a linguagem corporal para defini-lo e defendê-lo.

4
Espaço pessoal e toque pessoal

Como você sente quando está em uma festa? Jim bebeu um pouco mais e está dizendo a você como o mundo é de verdade. Para ter certeza de que você está ouvindo todas as sílabas da sua sabedoria, ele se inclina bem em direção ao seu rosto. Você consegue ver todas as marcas na pele dele.

Quando alguém está "bem na sua cara" ou "perto demais da sua cara", isso geralmente é um gesto agressivo (Figura 4.1).

Figura 4.1 "Na sua cara"

O espaço pessoal é aquela área invisível ao nosso redor, o espaço onde sentimos que precisamos manter os outros afastados para ficar à vontade – o centro do nosso território. Mas a entrada de alguém em nosso espaço pessoal nem sempre é desconfortável.

Um dos grandes clichês do cinema é o *close* antes do primeiro beijo. No filme *Meu Querido Presidente*, Michael Douglas interpreta um presidente viúvo que convida uma lobista, interpretada por Annette Bening, para jantar. Enquanto examinam a porcelana da Casa Branca, ele se aproxima dela.

Ela se aproxima dele.

Um entra no espaço pessoal do outro.

Os movimentos são hesitantes, mas os hormônios estão em ebulição.

Então, rostos e lábios se aproximam.

Depois, o espaço pessoal entre eles se dissolve e eles se beijam... E nesse momento romântico um assessor interrompe: o presidente é chamado à sala de reuniões para decidir se deve ou não bombardear a Líbia.

Figura 4.2 Um beijo em câmera lenta

Entretanto, por fim o romance volta a engatilhar. Uma análise em câmera lenta dos segundos que levam ao beijo mostra claramente a forma pela qual deixamos alguém entrar em nosso espaço pessoal que geralmente protegemos (Figura 4.2).

A extensão do espaço pessoal

Os psicólogos tentaram medir o espaço pessoal ou "bolha" que criamos ao nosso redor. A melhor estimativa – e é uma estimativa – é que, para um ocidental mediano, o espaço físico pessoal é cerca de 60cm em cada lado, 70cm de frente e 40cm atrás. A cultura e a personalidade afetam o que as pessoas veem como espaço pessoal confortável – a cultura mais ainda.

Alguns pesquisadores alegam que existem quatro categorias de espaço pessoal:

1 a distância íntima para abraçar ou sussurrar (15 a 45cm);

2 a distância pessoal para conversas entre amigos próximos (45 a 120cm);

3 a distância social para conversas entre conhecidos (120 a 360cm);

4 a distância pública usada para discursos públicos (360cm ou mais).

Exercício 4.1: Auto-observação

Tente perceber o seu espaço pessoal confortável. Para isso, você precisa ficar perto de:

- um amigo próximo;
- alguém com quem você esteja se relacionando;
- um colega de trabalho;
- (se você tiver filhos) um dos seus filhos.

Observe as diferenças da distância que você toma desses grupos distintos – e especialmente quando você se sente próximo demais.

Isso pode virar um bom jogo em uma festa.

Os limites do espaço pessoal dependem não somente da cultura, mas também das circunstâncias.

Costumo viajar no metrô de Londres na hora do *rush*, quando todos estão amontoados entre estranhos. Normalmente, você só estaria tão próximo a alguém em uma situação íntima. Forçados a ficarmos tão perto das pessoas, usamos muitos sinais conscientes e inconscientes para lembrar a nós e nossos companheiros de viagem que essa proximidade não é real (Figura 4.3). Não há motivo para supor que os metrôs de Paris, Atenas, Moscou, Nova York ou Tóquio sejam diferentes.

Figura 4.3 Sinais para manter a distância

Sinais para "manter a distância embora se esteja tão perto"

• Uma forma pela qual as pessoas lidam com tanta proximidade é manter o tronco virado de maneira que, ao estarem fisicamente próximas, a proximidade seja menos direta.

• Evitar contato ocular é outro sinal para manter distância. O olhar vítreo para o nada deixa bem claro que um envolvimento real não está sendo ensejado. Os olhos quase perdem o foco nessa situação.

• Evitar conversas é outro sinal: não falar com ninguém ainda que o outro tenha uma visão perfeita dos olhos, cabelo e, às vezes, até da caspa da pessoa.

• Um quarto sinal é a forma pela qual os passageiros evitam se tocar, ainda que os outros estejam a centímetros de distância. Às vezes isso requer certo contorcionismo.

Quando as pessoas se esbarram acidentalmente, elas tendem a pedir desculpas com um "desculpe" rápido e seco. A tensão causada por tal proximidade torna-se óbvia quando o trem freia e as pessoas se esbarram. Os passageiros dão risadas nervosas. Eles estiveram em uma situação que aparenta ser íntima, mas evitaram se tocar. Agora o trem causou esbarrões e a risada nervosa é uma válvula de escape e um sinal evidenciando que tocar os outros passageiros é um erro. As crianças costumam dar gargalhadas quando erram, mas, como a sua linguagem corporal é menos definida, elas costumam acrescentar algo como: "Opa, eu não devia ter feito isso".

Alguns psicólogos argumentam que os passageiros no metrô não se veem como indivíduos, mas objetos inanimados, e essa é a única forma de evitar brigas e atritos passionais entre London Bridge e Piccadilly. Acho isso um pouco radical. As pessoas sabem muito bem que as colegas sardinhas do metrô são seres humanos como elas e entendem que é apenas o fato de estarem todas viajando no metrô lotado que as deixa tão próximas fisicamente.

Mais uma vez, entram questões de personalidade. Os extrovertidos tenderão a ter menos inibições sobre invadir o espaço pessoal. Os introvertidos ficarão mais desajeitados ao permitir que as pessoas entrem em seu espaço pessoal – e precisam de mais espaço. Os homens tidos como frios parecem receber mais espaço também.

Um teste de personalidade bem conceituado, o Indicador de Tipos de Myers-Briggs, alega inclusive que existe um tipo de personalidade – o tipo "eu nunca atinjo a perfeição" – que pode ter uma necessidade mais extrema de espaço pessoal do que os outros. As pessoas com esse tipo de personalidade se ressentem com facilidade e odeiam conflitos, o que explica o fato de detestarem que o seu espaço pessoal seja invadido.

Espaço pessoal e território

Alterar a distância entre duas pessoas também pode sinalizar aumento ou diminuição de dominância. Eu me aproximo de você para enfatizar um ponto que desejo explicar e pode ser algo que você não queira ouvir.

Os interrogadores policiais aprendem que essa "violação" do espaço pessoal pode pressionar suspeitos e testemunhas. Os detetives oprimem a pessoa que interrogam. Essa invasão do espaço pessoal dá ao interrogador uma vantagem psicológica. Em um filme que fiz para o Canal 4, *The False Confessions File* (1990), vários suspeitos descreveram o quanto se sentiam pressionados quando os policiais se aproximavam muito deles.

A ideia de espaço pessoal está ligada à ideia de território. Os humanos não demarcam território com a urina, como os animais, mas o princípio é quase o mesmo. As pessoas variam na forma de serem ligadas ao território, mas ser muito apegado ao território é muito humano. É um traço que herdamos de outros animais – e você pode observar isso em conferências, aviões e na sua própria casa. Os alunos que assistem à segunda aula em uma série geralmente sentam precisamente nos mesmos assentos que ocuparam na primeira. As pessoas fazem de tudo em trens e aviões para que o assento ao lado fique vazio; costumam ocupá-lo com casacos e bolsas.

Um adolescente pode ver seu quarto como território particular e banir a mãe e o pai. Os homens costumam fazer do seu local de estudos ou do jardim seu espaço sagrado. Não existem estudos sérios sobre os homens serem mais apegados ao território do que as mulheres, mas eu já tive relacionamentos em que, se eu entrasse no quarto onde a mulher se arrumava ou invadisse a mesa onde ela guardava a maquiagem, seria um inferno.

O teste do Exercício 4.2 pode não revelar os aspectos mais lisonjeiros da sua personalidade, mas tente ser honesto.

Exercício 4.2: Auto-observação – em que medida você marca território?

Quais das seguintes afirmações são verdadeiras a seu respeito? Mais uma vez, usaremos uma escala de cinco pontos:

5 Sempre verdade.

4 Quase sempre verdade.

3 Às vezes é verdade.

2 Raramente é verdade.

1 Absolutamente falso.

1 Gosto que a minha casa esteja limpa e arrumada.

2 Quando não consigo achar alguma coisa, sempre desconfio que o meu parceiro ou as crianças deram sumiço nela.

3 Quando alguém senta na poltrona preferida da minha mãe, fico muito tensa porque ninguém deve usar algo que era dela.

4 Sempre dividiria a escova de dentes com meu namorado.

5 Odeio quando os vizinhos podam as árvores que dão para o nosso jardim.

6 Uma das melhores coisas em meu novo emprego é que tenho uma vaga exclusiva no estacionamento.

7 Eu não acho que os outros estão me observando. Seria paranoia.

8 Na praia, gosto de escolher a espreguiçadeira no fim da fila para ter mais privacidade.

9 Quando alguém se aproxima por trás da minha mesa de trabalho, não me incomodo muito.

10 Gosto de dormir sempre no mesmo lado da cama.

11 Minha namorada e eu nos revezamos quando bebemos ao sair. Eu não me importo que ela dirija.

12 Quando vou às compras com meu(minha) parceiro(a), acho irritante quando ele(a) quer empurrar o carrinho.

13 Tenho espaços especiais onde moro em que ninguém mais pode entrar.

14 No que se refere à decoração da minha casa, fico muito feliz ao deixar outra pessoa escolher o papel de parede.

15 Eu sei quando alguém dá sinais de que entrará em meu espaço pessoal.

✓ Respostas

Primeiro, some os seus totais para as perguntas 1, 2, 3, 5, 6, 8, 9, 10, 12, 13 e 15 (as perguntas 4, 7, 11 e 14 são diferentes, então deixe-as por enquanto). O total poderia ser 55. Se totalizar de 40 a 55, você é muito apegado ao território. Se totalizar de 25 a 40, você é relativamente apegado ao território. Menos de 25 faz de você um espírito livre que não se importa muito com o que é seu.

Para as perguntas 4, 7, 11 e 14, as respostas são o contrário – apenas para manter os leitores atentos. Se você disse "sempre" na pergunta 14, por exemplo, significaria que você não é muito apegado ao território. Então, um total alto de 20 nessas quatro perguntas significaria que você não é, de forma alguma, apegado ao território. Um total baixo significaria que você é muito apegado ao território.

Tente lembrar se você teve uma discussão séria recentemente com alguém por julgar que ele(a) invadiu seu espaço. O que causou isso?

Invasão de espaço pessoal

Como o nosso senso de espaço pessoal é consciente e inconsciente, usamos muitas formas de nos movimentar para sinalizar se queremos – ou não – que alguém cruze a fronteira e entre.

Sinais para "entrar no meu espaço"

- Pequenos movimentos do corpo que abrem o espaço.
- Pequenas viradas do rosto para realmente olhar nos olhos de alguém.
- Avançar devagar a fim de se aproximar.
- Passar de um espaço fechado (Figura 4.4a) a um aberto (Figura 4.4b).

Também é sensato reconhecer sinais que querem dizer o contrário.

Figura 4.4 "Entre em meu espaço pessoal"

Sinais definitivos para "não entrar em meu espaço pessoal"

- Dar as costas.

- Cruzar os braços na frente do corpo (Figura 4.5).
- Movimentos de retração.
- O cotovelo apontando como um escudo para outra pessoa.
- Colocar os braços na frente do rosto.

Um estudo constatou que, ao sentirmos que o nosso espaço pessoal foi invadido, também *coçamos o rosto*. A questão do espaço pessoal está intimamente ligada à questão do toque.

Figura 4.5 "Não entre em meu espaço pessoal"

Toque

Nascemos com a capacidade de sentir dor e prazer e, conforme crescemos, esse sentido se desenvolve. Uma razão para sermos tão sensíveis ao toque é que a pele é o maior órgão do corpo humano. Quanto você acha que pesa?

A resposta é que 15% de nosso peso corporal é composto pela pele. A pele de um adulto médio cobre cerca de 1,5 a 2,0m; a maioria dela tem entre 2 e 3mm de espessura. A média de

2,5cm contém 650 glândulas sudoríparas, 20 vasos sanguíneos e mais de 1.000 terminações nervosas ou receptores tácteis. Esses receptores reagem à pressão – o que define fundamentalmente o toque – e enviam mensagens ao cérebro. De forma simples, o padrão desse envio "diz" ao cérebro que determinado toque é bom, ruim ou neutro.

A maioria de nós já sentiu os pêlos do corpo formigarem e até se arrepiarem. Isso é causado por um aumento em algo chamado resposta cutânea galvânica – ou elétrica.

Os cientistas descobriram que, quando estamos emocionalmente despertos, nossa pele fica – e parece – mais elétrica. Isso pode ser medido, mostrando que o medo, a raiva, sustos e sentimentos sexuais produzem picos na resposta cutânea galvânica. Em universitários, ela tem picos quando um membro do sexo oposto se aproxima.

Sem abraços, por favor – nós somos britânicos

Em 2006, o diretor de uma escola britânica reclamou que os seus alunos estavam muito inclinados a se abraçar. A atitude dele ilustra claramente a ideia de que os britânicos tendem a ser bem diferentes dos latinos, que estão sempre se tocando. O diretor avesso a abraços anunciou que estava proibido se tocar na escola e acabou sendo motivo de pilhéria na imprensa.

Culturas diferentes têm "bolhas" de espaço pessoal de tamanhos diferentes, embora os psicólogos discordem sobre as diferenças de sensibilidade em diferentes países. Muita gente diz que os americanos são mais físicos, com maior probabilidade de abraçar ou bater no ombro do que os britânicos, mas algumas pesquisas americanas na verdade questionam esse estereótipo e alegam que os americanos se preocupam com o toque. Há pouco debate sobre os japoneses ou árabes, porém. Os japoneses dificilmente se tocam, enquanto os árabes se tocam o tempo todo, como veremos no capítulo 11.

Exercício 4.3: Auto-observação

Anote que tipo de toque

- você gosta;
- não gosta;
- acha erótico;
- acha assustador.

No próximo capítulo, analiso em detalhes alguns aspectos de como usamos nossos braços, mãos e pés para revelar – e ocultar – o que estamos realmente pensando e sentindo.

5
A linguagem corporal revela pequenos detalhes

A linguagem corporal pode ser uma questão de vida ou morte. Quando os gladiadores lutavam contra os leões na Roma Antiga, o imperador tinha o poder de decidir deixá-los viver ou morrer. Não havia sistemas de alto-falantes em 50 a.C., então como César anunciava a decisão à multidão?

O polegar para cima significava: "que o gladiador viva".

O polegar para baixo significava: "que o gladiador devia morrer".

Ainda usamos o polegar para cima e para baixo para dizer às pessoas se elas se saíram bem ou mal. Mas nós adotamos a perspectiva do gladiador: o polegar para baixo é ruim.

Mais recentemente e, de forma mais chocante, os sobreviventes dos campos de concentração nazistas, como o escritor Primo Levi (2000), descreveram como eles tentavam desesperadamente andar aprumados ao serem examinados. Se você parecesse em forma, era menos provável que fosse enviado às câmaras de gás naquele dia.

A linguagem corporal não é, de forma alguma, trivial.

Um capítulo de um livro não é capaz de explicar todos os seus movimentos e gestos. Mas pode analisar os componentes principais da linguagem corporal mais detalhadamente, então eu examino:

- alinhamento corporal e distância angular;
- mãos e dedos;
- braços;
- pés e dedos;
- "intumescência";
- cabeça e ombros;
- lábios;
- o toque em si mesmo;
- acessórios.

Alinhamento corporal e distância angular

A maneira pela qual alguém alinha o corpo em relação a quem esteja perto fisicamente – às vezes chamada de distância angular – é reveladora. As pessoas alinham a parte superior do corpo em direção aos que gostam e se distanciam daqueles de quem não gostam ou tenham algum tipo de ansiedade. A distância angular pode variar de 0 grau (*diretamente de frente*) a 180 graus (*virando de costas*). Na década de 1960, os especialistas em linguagem corporal descreveram oito orientações básicas de uma pessoa em relação a outra, todas baseadas em como manipulavam o espaço ao redor. A mais íntima é quando as pessoas se olham; a mais desdenhosa e hostil é quando voltam as costas às pessoas que as acompanham.

A orientação também indica a situação. É comum conseguir perceber quem é a pessoa mais poderosa em uma mesa de conferências pelo número de torsos voltados em direção a ela. Os de hierarquia executiva mais baixa podem olhar para os colegas quando eles falarem, mas os seus torsos, em sua maioria, estarão voltados para o(a) chefe – e ainda mais se eles o(a) admirarem.

Pessoas nervosas também podem virar o corpo para longe dos outros (Figura 5.1). O Presidente Richard Nixon, o único presidente americano que renunciou, costumava posicionar-se em um ângulo exagerado longe dos visitantes do Salão Oval. Os fotógrafos das reuniões da Casa Branca na década de 1970 mostram Nixon sentado com os ombros afastados dos seus conselheiros em 90 graus, como se estivesse "removendo-se" de todos os outros.

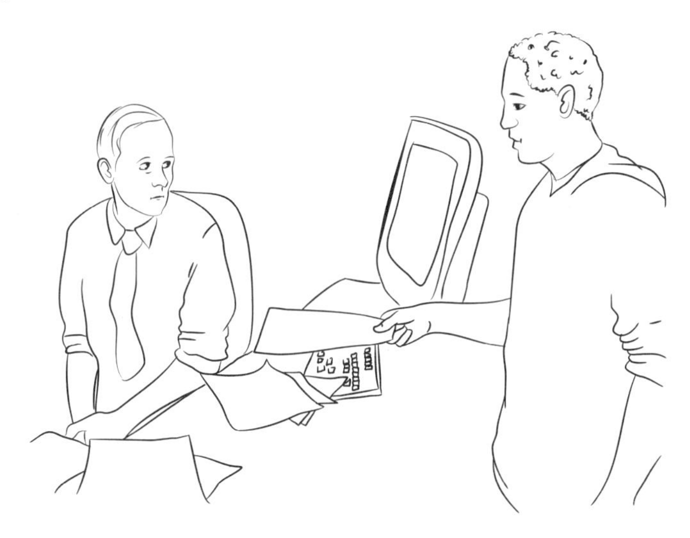

Figura 5.1 Virando o corpo para longe das pessoas

O lugar onde posicionamos o nosso corpo também afeta o que fazemos com as mãos

Mãos e dedos

Vimos que grande parte do espaço cerebral dedica-se às mãos (p. 24) – e isso acontece porque as mãos ajudam a criar a nossa inteligência.

Quando os bebês nascem, eles conseguem *segurar* objetos. Mas isso é só um reflexo. Dentro de algumas semanas, eles terão desenvolvido a coordenação entre os olhos e as mãos, podendo alcançar objetos em sua frente. De quatro a cinco meses, eles usam essa habilidade para descobrir como é o seu mundo. Um jogo familiar é que o bebê levante alguma coisa e depois a jogue, esperando que a mãe ou o pai pegue e devolva às suas mãos. O grande psicólogo infantil francês Jean Piaget (1896-1980) afirmava que esse jogo aparentemente tolo de pegar e jogar é a forma pela qual começamos a entender o mundo. À medida que o bebê explora com as mãos, ele começa a desenvolver o que Piaget (1952) chamou de inteligência sensório-motora, que é a raiz de toda a inteligência.

De nove meses a um ano, os bebês apontam as coisas, o primeiro sinal de comunicação significativa que dominam e que acompanha as pessoas pelo resto da vida. Apontamos coisas que queremos comprar e homens pouco sutis apontam as garotas que paqueram.

Uma variação interessante do apontar é tocar no nariz com o polegar: aproximar a mão do nariz, apontando com o polegar e balançando os dedos. Eu gosto desse gesto, que significa "Ho ho!" Mais uma vez isso mostra como o nariz é um órgão estranho em termos de linguagem corporal. A última vez que fiz isso foi depois que uma jovem me perguntou se a camiseta que eu estava vestindo significava que eu estava voltando ao *grunge* – ela me achou muito velho para aquilo. Eu respondi com esse movimento.

"Isso é tão infantil", Belinda riu. Ela estava certa – mas fazia sentido. Por acaso, nenhum de nós percebeu que os italianos no século XVIII usavam muito esse gesto.

Tocar no nariz quando mentimos também ajuda a ocultar o aumento de fluxo sanguíneo ao nariz, um tipo de rubor nasal, então é uma atividade dispersiva que deriva da nossa forma inconsciente de mostrar traços de mentira no nariz.

Muitos gestos mais sutis com as mãos ocultam mais tipos delicados de ambivalência.

Palmas

Quando a mãe põe a mão ao redor do filho, é um sinal de amor – mas também de controle e conforto. Os antropólogos viram um ancião de uma tribo em Gana *bater com a palma para baixo* para convencer os ouvintes de que as suas esposas *preferiam* a poligamia (veja a Figura 5.2b.)

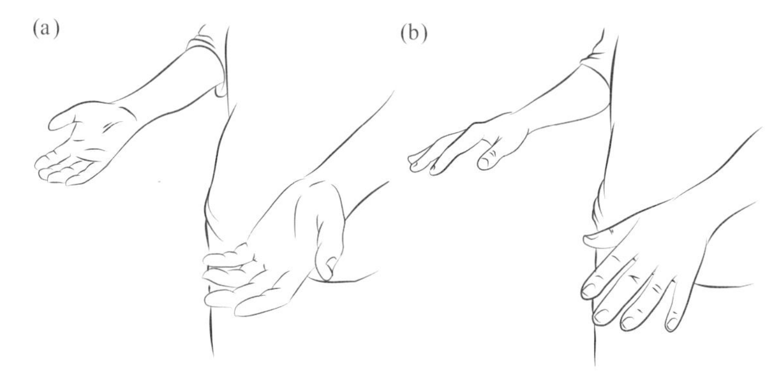

Figura 5.2 Palmas para cima e para baixo

As palmas para cima, porém, são um gesto de desamparo e resignação. Ao ver alguém fazer isso, você pode ficar tentado a colocar as seguintes palavras na sua boca: "Deus, ajude-me! Estou lidando com alguém muito tolo!"

As palmas também demonstram ansiedade, porque podem suar e ficar úmidas. O primeiro diretor do FBI, J. Edgar Hoover, nunca contratava agentes cujas mãos estivessem úmidas ao cumprimentar, porque ele achava que eles careceriam de domínio moral e manual.

Há inúmeros outros gestos comuns com a palma – e dois estão ligados à oração. Quando rezamos, entrelaçamos os dedos e às vezes formamos uma torre de forma que os dedos apontem diretamente ao céu (Figura 5.3). Mas esses não são apenas sinais de fé. Tais gestos geralmente levam a pequenos movimentos que denunciam ansiedade. Muitos de nós também começam a bater com os dedos ou torcê-los em nossas mãos entrelaçadas.

Figura 5.3 Dedos entrelaçados e em formato de torre

Se você tende a fazer isso, pratique relaxar os dedos de forma que eles não fiquem inquietos. Se for difícil fazer isso, ponha as mãos atrás das costas para que fique menos perceptível.

Às vezes também sentamos sobre as mãos, o que significa, na prática, sentar sobre as palmas. Na próxima vez que fizer isso, observe se as palmas estão viradas para cima ou para baixo. Se você sentar sobre as palmas voltadas para cima, isso sugere que você está tentando ocultar seus sentimentos de vulnerabilidade. Se sentar sobre as costas das mãos, isto é, as palmas voltadas para baixo, você provavelmente está irritado e quer controlar a pessoa com quem conversa, mas acha (talvez inconscientemente) que é melhor não demonstrar o quanto está furioso. Sentar sobre as palmas suprime um pouco da sua raiva.

Também vemos as pessoas entrelaçarem os dedos um por um e tocá-los, até mesmo acariciá-los um pouco. Mais uma vez, é um sinal de ansiedade e uma tentativa de se tranquilizar.

Braços

Muita gente simplesmente não sabe o que fazer com os braços e acaba no que parece uma pilha de nervos.

Cruzar os braços

As pessoas cruzam os braços defensivamente no mundo todo. As mulheres tendem a usar esse gesto quando estão com homens que não gostam ou com homens que as deixam irritadas. Com braços e cotovelos apertados contra o corpo, cruzar os braços sugere *nervosismo agudo* ou *ansiedade crônica*. Cruzar os braços quase pode tornar-se um autoabraço que, assim como tocar em si mesmo, é uma tentativa de autoconforto. Você gostaria que alguém o abraçasse para se sentir melhor, mas, já que ninguém está lá ou ninguém fará isso, você precisa se abraçar.

Mas, quando os braços são menos pressionados contra o peito, com os cotovelos altos e longe do corpo, cruzá-los é menos um pedido de ajuda e mais uma postura de desconfiança. Você está armado.

Geralmente cruzamos os braços na frente do peito (Figura 5.4), mas os homens às vezes também cruzam as mãos na frente da braguilha (Figura 5.5). Uma situação em que isso foi observado é quando os homens estão em grupo.

Figura 5.4 A cruzada de braços clássica

Mãos nos quadris

Com as mãos nos quadris, estamos prontos para assumir o controle e bradar que ninguém vai mexer conosco. A polícia leva essa postura a sério como um aviso de que alguém tem orgulho de ser antissocial. Não sabemos se essa pose de "pistoleiro" antecede nosso fascínio com o faroeste ou se esgueirou-se em nossa linguagem corporal pelos 1001 filmes de faroeste em que o *cowboy* põe as mãos nos quadris antes de sacar a arma (Figura 5.6).

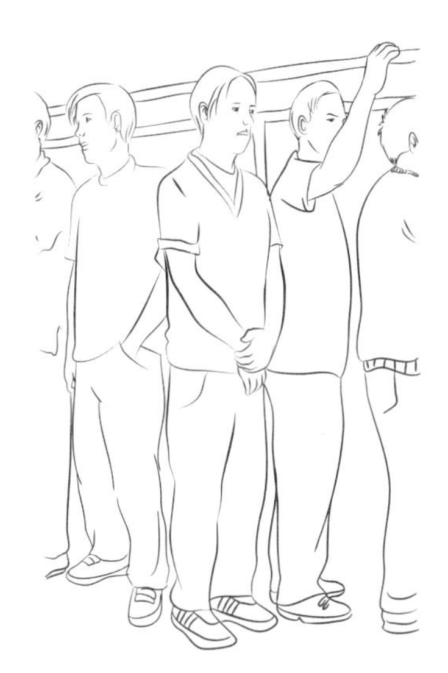

Figura 5.5 A cruzada de mãos baixa

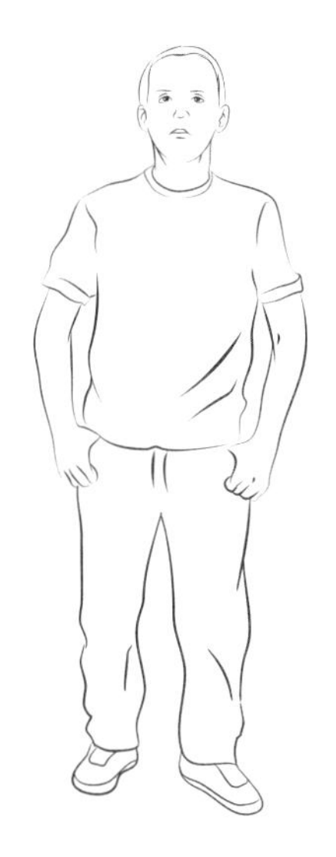

Figura 5.6 Mãos nos quadris: a pose de "pistoleiro"

Casos

Histórico de caso

Duas observações de policiais mostram que eles se preocupam ao ver pessoas adotarem a pose de pistoleiro. Um agente do FBI, Joe Navarro, disse, "É um gesto de quem quer marcar território, geralmente presente quando algo está errado. Não recomendo que policiais envolvidos em situações domésticas fiquem na porta com as mãos na cintura. Eles estariam bloqueando o castelo do rei, marcando território e é uma declaração hostil quando se precisa de calma. Por outro lado, encorajo os policiais a usar as mãos na cintura com maior frequência para marcar mais território e, então, maior autoridade". Outro policial alega que sempre se sentiu em guarda ao ver alguém com essa pose e lembrou de um caso em que estava interrogando um suspeito que tinha uma das mãos no quadril.

Outro policial contou aos psicólogos em Los Angeles um caso em que ele achou estar se saindo bem ao conversar com um suspeito. Mas as mãos nos quadris "na verdade estavam ajudando-o a não confessar. Finalmente percebi o que estava acontecendo – então desfiz a sua pose deixando a minha caneta cair. Logo depois que pegou (convenientemente) a minha caneta, ele confessou".

Se alguém encarar você com as mãos nos quadris, olhe para os pés dele(a). Eles estão firmemente plantados no chão ou estão se mexendo? Se você vir pés calmos e firmes, fuja. Verbal ou fisicamente, a pessoa à sua frente está prestes a atacar.

Pés e dedos

Alguns filósofos acreditam que mover os pés ajuda a usar o cérebro. Os seguidores de Aristóteles (384-322 a.C.) eram conhecidos como *peripatéticos* porque andavam enquanto ponderavam seus pensamentos profundos. Cada metro significava uma nova ideia.

Um quarto de todos os ossos humanos está nos pés, e a posição dos pés revela muito, especialmente indicando se você tem ou não afinidade com o outro. Alguns especialistas chamam isso de "dedos para dentro" (Figura 5.7), ao contrário de "dedos para fora".

Figura 5.7 Dedos para dentro

Um estudo sagaz até descobriu que os membros de um júri podem inconscientemente não apontar os pés para os advogados de quem discordam (Figura 5.8).

Figura 5.8 Dedos para fora

"Intumescimento"

Quando um sapo quer impressionar os outros sapos, ele se intumesce. Os humanos fazem a mesma coisa. Nós exageramos o peito e a amplitude dos ombros, e é por isso que os uniformes militares e os ternos comerciais são talhados de forma a aumentar o nosso perfil. Algumas espécies, como os gatos, cães e leões, espicham o pêlo para intimidar os outros. King Kong ainda foi além da melhor tradição dos gorilas, batendo no peito. Nós, ao contrário, vamos a um bom cabeleireiro para melhorar a aparência do cabelo, o que dá a impressão de estarmos no controle.

Exercício 5.1: Auto-observação

Pense na última vez que você foi a um encontro em que precisava impressionar alguém.

- Como você se vestiu?
- Você se comportou como um sapo?

Cabeça e ombros

Nós assentimos com a cabeça, fazemos que não, a inclinamos para cima e para baixo. O significado de alguns desses movimentos é óbvio, mas as coisas nem sempre são claras no que tange à inclinação da cabeça.

A inclinação da cabeça

Quando inclinamos a cabeça ao falar com alguém, provavelmente estamos tentando, de forma inconsciente, criar afinidade. Mas esse é um dos comportamentos não-verbais que transmitem um significado diferente quando manifestado por uma mulher ou um homem. Mulheres que inclinam a cabeça, como a Princesa Diana costumava fazer, tendem a parecer tímidas e submissas. Daria para escrever um livro investigando se Diana inclinava menos a cabeça conforme ia ficando menos disposta a obedecer às regras da realeza.

Figura 5.9 A inclinação de cabeça masculina

Os homens tendem a inclinar a cabeça para trás e não para os lados, o que transmite uma mensagem bem diferente da inclinação de cabeça feminina. A inclinação de cabeça masculina denuncia o fato de alguém se sentir superior, não remotamente submisso (Figura 5.9). Inúmeros políticos usaram esse gesto em discursos públicos, inclusive Al Gore, o ditador fascista italiano Benito Mussolini e o presidente americano Franklin D. Roosevelt. Por todas as suas diferenças políticas, quando esses homens inclinavam a cabeça para trás, estavam demonstrando repulsa e escárnio. Às vezes, homens desdenhosos também alçam uma das sobrancelhas, apertam os olhos e levantam o lábio inferior.

Mão atrás da cabeça ou coçando a nuca

Quando os atletas ficam com raiva, segundo um estudo de 1971, costumam colocar as mãos atrás da cabeça. Eu já vi jogadores de futebol fazerem isso – e o gesto começa quando somos crianças. As crianças geralmente agem assim quando são repreendidas pelos pais.

O FBI, que ensina seus agentes a observarem as minúcias da linguagem corporal, vê esse gesto como uma pista útil em entrevistas. Joe Navarro (2003), um dos seus especialistas em comunicação não verbal, observa:

> Durante as entrevistas, observei as pessoas tocando na nuca imediatamente depois de ouvirem que eram suspeitas e todas as vezes em que os investigadores eram precisos na descrição de algo que só o suspeito sabia. Também notei que a velocidade com que o braço vai até a nuca e a cabeça é importante, e a quantidade de força aplicada depois que a mão alcança a cabeça ou nuca [Figura 5.10].

Figura 5.10 Coçando a nuca

Navarro também acredita ser útil procurar

> o ângulo da cabeça e do pescoço quando a mão bate na parte traseira da cabeça ou na nuca. Quanto maior o ângulo formado com a vertical, maiores problemas terá a pessoa. Eu vi um homem literalmente se dobrar para a frente até o ponto em que levantava da cadeira enquanto levava a mão à nuca e depois se dobrar para frente enquanto era confrontado.

A(s) mão(s) atrás da cabeça revela(m) incerteza, conflito, frustração, raiva ou desagrado. Para tentar ocultar esses sentimentos, às vezes as pessoas começam a massagear o pescoço em busca de conforto.

Desmond Morris afirmava que, quando a mão se mexe para cima abruptamente e segura com força na nuca, é um sinal de raiva provocada repentinamente, mas não expressa.

Dar de ombros

Damos de ombros para sugerir que não temos tanta certeza do que estamos dizendo (Figura 5.11). É um sinal não verbal capaz de modificar – e contradizer – o sentido de nossas palavras faladas.

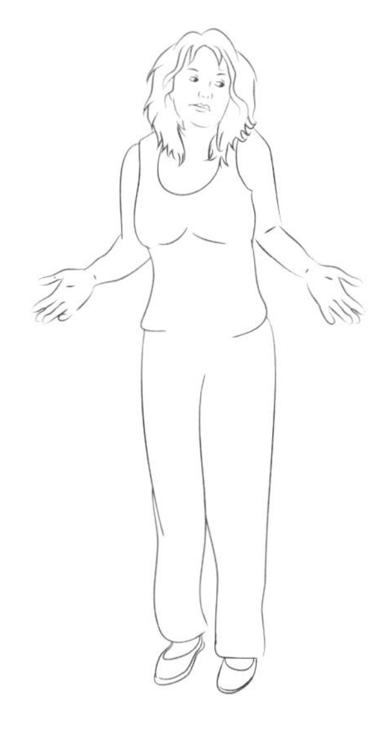

Figura 5.11 Dar de ombros

Em 11 de julho de 1996, enquanto estava em órbita na estação espacial russa *Mir*, a astronauta americana Shannon Lucid *deu de ombros, inclinou a cabeça* e gesticulou com a *palma para cima* quando respondia perguntas sobre o seu atraso de seis semanas para voltar à Terra. "Sabe," ela disse ao *Today Show*, da NBC, "é a vida".

Como os nossos ombros, os lábios podem transmitir muitas mensagens.

Lábios

O furioso gorila aperta os lábios. Nos planaltos de Papua Nova Guiné, quando alguém pedia aos homens para mostrar o que fariam se ficassem enfurecidos e prontos para o ataque, o psicólogo Paul Ekman observou que "eles apertavam os lábios".

O executivo costuma fazer o mesmo na selva corporativa. Quando a sua chefe está furiosa, é possível que ela comprima os lábios. Uma pequena queda do canto da boca – através da contração inconsciente de um músculo chamado *depressor do ângulo da boca* – costuma ser o primeiro sinal de pesar ou desapontamento. A compressão dos lábios também é conhecida como o "visual de boca tensa" (Figura 5.12).

Figura 5.12 Lábios comprimidos

Via de regra, quanto mais aberta a boca, mais relaxado você está. O bocejo é o principal exemplo porque mostra de maneira muito aberta o quão entediado você está (Figura 5.13). O bocejo contido, em que você mantém a boca fechada enquanto força a saída do ar pelos lábios comprimidos, é outra coisa.

Figura 5.13 Bocejo

Mostrar a língua

Colocar a língua para fora é um grande gesto de desdém, mas é muito comum as pessoas lançarem a língua alguns milímetros fora da boca. Esse mostrar de língua sugere desagrado ou desacordo com algo que acabou de ser dito. Considere como um sinal de aviso. Isso se dá com os gorilas também. Um gorila empurrado do seu galho favorito deixará a língua à mostra como "desagrado".

Mostrar a língua pode ser discreto. Na minha área de observação preferida, o metrô, eu observava um casal em torno de trinta anos. Ela comprimia os lábios, mordia-os e a língua aparecia discretamente, mas o seu parceiro não notou nenhum desses movimentos; ele estava sentado um pouco afastado dela, olhando para as compras na sacola aos seus pés. De repente, algo engraçado aconteceu e ele fez o inesperado, esbarrando nela com os ombros e depois virando para ela. Ao ver o rosto tenso dela, ele percebeu que algo estava errado, mas não disse nada: apenas esbarrou nela de novo, jocosamente. Então, ela sorriu e eles ficaram como crianças em carrinhos de corrida, um esbarrando no ombro do outro. Isso transformou o estado de espírito dela; alguns segundos depois, a cabeça dela estava sobre o ombro dele. As ansiedades que fizeram com que ela mostrasse a língua desapareceram.

Molhar os lábios é uma tentativa de nos confortar – um dos vários movimentos de tocar em si mesmo.

Tocando-se

Em nossa sociedade estressada, costumamos abraçar, acariciar, tocar em nossos pulsos com as mãos, nos beliscar e coçar. As mulheres mexem com os braços e inspecionam o cabelo atrás de pontas quebradas. Seria interessante saber se nos tocamos mais agora do que no passado. Mais uma vez, nós herdamos de nossos ancestrais macacos essa maneira de neutralizar o estresse. A grande estudiosa de macacos, Jane van Lawick-Goodall, observou: "Quanto mais intensa a situação de ansiedade ou conflito, mais vigorosa é a coceira. Ocorria tipicamente quando os chimpanzés estavam preocupados ou assustados na minha presença ou na de um chimpanzé superior" (VAN LAWICK-GOODALL, 1974: 329).

Os macacos resos órfãos tocam-se com muita intensidade. *Chupam os polegares ou dedos dos pés, abraçam-se* e *batem com a cabeça*. Como pacientes psiquiátricos, que regridem de maneiras similares, os macacos órfãos se sentem abandonados e tentam desesperadamente confortar-se. As crianças sob estresse, como aquelas nos orfanatos romenos, fazem muito isso. Essas crianças também costumam se balançar em busca de conforto, um movimento que os judeus ortodoxos adotam ao rezar. Quanto mais balançam, mais fervorosas são as orações.

Eu acho reconfortante que os nossos políticos mais poderosos ajam como macacos. Lembrem de que Tony Blair tocava no estômago enquanto Gordon Brown estava falando na conferência do Partido Trabalhista.

Geralmente, se estiver tentando transmitir credibilidade e calma, é muito melhor você não se tocar.

Todos esses detalhes são instrutivos, porque você não precisa ser um escravo dos seus hábitos de linguagem corporal. Então, no Exercício 5.2, ofereço uma sugestão para ajudá-lo a mudar esses hábitos. Parcialmente é por diversão, mas também porque todos nós tendemos a nos estagnar na rotina. Saia da rotina seguindo as ideias abaixo.

Exercício 5.2: Auto-observação

Anote os seus gestos mais familiares quando você está feliz e quando está triste.

Pense em alternativas – ainda que pareçam ridículas. Por exemplo, da próxima vez que estiver triste, em vez de tamborilar os dedos na mesa de café, fique de pé à mesa do café e boceje.

A chave desse exercício é lembrá-lo de que não é preciso ser escravo dos hábitos da sua linguagem corporal.

Acessórios e símbolos de *status*

Celulares

Compare o telefone celular com os colares de contas usados em algumas culturas (por exemplo, na Grécia). Os homens mexem em seus colares de contas para diminuir a ansiedade – e talvez até mesmo para entrar em estado meditativo. As mulheres mexem no cabelo e nas joias (veja a Figura 5.14).

Figura 5.14 Mexer nas joias

Poucos no Ocidente têm colares de contas, mas a tecnologia nos fornece um acessório que é ainda melhor para expressar ansiedade – o celular. O intérprete ávido da linguagem corporal poderia fazer pior do que observar as poses que as pessoas adotam na sua relação com o celular. Essa área tornou-se interessante para a pesquisa, já que as empresas de celulares são muito ricas e estão desesperadas para saber tudo sobre o uso dos celulares.

Os celulares permitem que expressemos nossa ansiedade. As pessoas costumam acariciar o celular com os dedos como se estivessem esfregando a lâmpada de Aladim. Se conseguir entoar o feitiço certo, talvez as suas mensagens sejam mágicas para você.

Alguns estraga-prazeres – bem, estraga-prazeres se você estiver casado com o seu celular – preocupam-se porque agora todos no Ocidente têm um celular colado à orelha, o que pode mudar drasticamente a linguagem corporal. À medida que nos tornamos cada vez mais absortos em telefonar e redigir mensagens em vez de falar cara a cara, esqueceremos de assentir com a cabeça e sorrir no momento certo? As descobertas são reconfortantes. Alguns de nós ainda usam a linguagem corporal enquanto falam ao telefone, ainda que ninguém esteja olhando para nós. Um estudo mostrou que cerca de 20% das pessoas que falam ao telefone celular ainda gesticulam, sorriem e balançam a cabeça como se outra pessoa estivesse ali ouvindo e assistindo.

A pesquisa também estabeleceu que as pessoas tendem a adotar duas poses diferentes ao falar. Uma foi chamada de pose "à vontade". As pessoas à vontade assumem uma postura aberta, estão felizes por estarem ao telefone e deixam os outros verem o que estão fazendo. O celular torna-se parte da sua aparência pessoal, como um penteado caro. Elas transpiram confiança, até brio. Por outro lado, alguns adotam uma pose mais retraída e "reservada". Os reservados (que podem ter profundos problemas psicológicos) criam um espaço pessoal onde falar ao celular. Eles quase escondem o celular; os braços se acomodam ao redor do corpo. Quando sentam, os reservados às vezes tiram os pés do chão. Todos esses são sinais de que eles deixam o mundo do lado de fora para se concentrar exclusivamente em seu telefonema. A mulher na Figura 5.15 é um bom exemplo de reservada. Ela está esperando o metrô. A sua cabeça está ligeiramente inclinada enquanto ela olha para baixo. A sua bolsa está colocada como um escudo defensivo e a ajuda a criar um espaço privado onde possa estudar as suas mensagens em paz.

A questão psicológica interessante é se essas poses diferentes são assumidas por tipos diferentes de personalidade. Tenho certeza de que algum cientista social empreendedor já se ofereceu para investigar, contanto que a Orange ou a TalkTalk enviem um cheque polpudo!

Figura 5.15 Espaço pessoal: o reservado

Os "à vontade" parecem existir em número maior que os "reservados", embora isso seja a minha impressão. Certamente parece verdade que temos cada vez menos inibições sobre conversar animadamente aos celulares, de forma que todos possam ver se estamos felizes ou tristes. Talvez os celulares estejam deixando os tensos britânicos menos inibidos.

Carro e academia

O carro é um grande símbolo de *status* em nossa sociedade. Na maioria dos casais, aquele que mais dirige será o dominante ou aquele que não tolera não estar no controle. Entretanto, se o(a) motorista bate no volante o tempo todo, isso sugere que ele(a) não se sente totalmente relaxado(a).

A academia tornou-se o lugar onde nós não apenas nos exercitamos, mas nos exibimos. O maior narcisista sempre ficará se analisando no espelho.

Observação no supermercado

Se você quiser se tornar um especialista em linguagem corporal, dê uma volta pelo supermercado e observe as seguintes interações entre casais:

- Quem controla o carrinho?
- Quando o casal decide comprar algo, eles se consultam?
- Quando o casal vai ao caixa e percebe que esqueceu alguma coisa, quem vai buscar?

Você pode deduzir muitas coisas disso. É quase certo que aquele que fica no caixa é o parceiro dominante na relação em público, porque ele mandou o outro buscar e carregar. Isso não significa necessariamente que serão dominantes em situações mais íntimas, mas é muito possível.

E finalmente...

Finalmente, uma versão levemente cínica de alguns aspectos da linguagem corporal.

O que significa quando um homem segura o rosto de uma mulher *enquanto* se beijam?

Acredite em mim, beijar você é muito sério, então vamos nos atirar na cama?

Que mensagem você envia a um homem ao ficar puxando seus anéis?

Eu deixarei meu marido se você deixar sua esposa, mas, antes disso, Charlie, você não terá nada além de um beijinho na bochecha.

O que significa um homem pôr os polegares nos bolsos das calças enquanto conversa com uma mulher?

Tenho notícias para você! Ou, pelo menos, ele quer que você acredite nisso.

6
A linguagem dos olhos

Desmoronei quando o chefe olhou para mim e então percebi que não poderia continuar mentindo.

Derreti quando ele me olhou nos olhos.

Essas duas frases se encaixariam em qualquer romance melodramático, mas elas destacam duas coisas que os olhos nos ajudam a comunicar – que temos todas as intenções de dominar alguém (o olhar poderoso) e que amamos alguém (o olhar amoroso). Neste capítulo, eu analiso:

- Contato ocular quando nos sentimos atraídos por alguém;
- Contato ocular quando tentamos dominar;
- Como as crianças aprendem a fazer e responder ao contato ocular;
- Como o contato ocular ajuda no fluxo da conversa;
- O piscar e como movemos as sobrancelhas.

A anatomia do olho

Para não errarem, os soldados de infantaria costumavam ouvir, "Não atirem até verem o branco dos olhos deles". Essa ordem não seria muito útil se você estivesse enfrentando um exército de gorilas, entretanto. Os olhos humanos parecem brancos porque não temos alguns pigmentos encontrados nos olhos dos primatas. A maioria dos macacos tem escleras marrons ou escuras. Como resultado, um gorila acha difícil saber exatamente para onde outro gorila está olhando.

Também vemos melhor para onde nossos companheiros humanos olham porque há mais contraste entre a cor dos olhos e da pele. Ademais, conseguimos ver facilmente o contorno dos olhos de alguém e a sua cor porque os nossos olhos são mais alongados horizontalmente e desproporcionalmente grandes, considerando o tamanho de nossa cabeça.

Alguns cientistas afirmam que um motivo pelo qual esses traços surgiram foi para ajudar na comunicação e cooperação. As crianças olham para o rosto e os olhos da mãe e do pai duas vezes mais que os filhotes de macacos – e os bebês aprendem enquanto olham.

E assim como olhamos intencionalmente para os nossos pais, olhamos intencionalmente para os adultos que desejamos que nos amem. Os seus olhos, insistem os psicólogos do Centro de Pesquisas Sociais de Oxford, "provavelmente são a sua ferramenta mais importante de paquera" porque são "transmissores extremamente potentes de sinais sociais vitais". Um anúncio recente de lentes de contato mandou seu recado de maneira interessante, dizendo, "ele olhou romanticamente para os óculos dela" – a maneira perfeita de atrapalhar o romance! Os apaixonados olham nos olhos do seu verdadeiro amor.

Quando nos sentimos atraídos por alguém, nossos olhos mudam de tamanho e as pupilas se dilatam. Não é consciente, mas essas mudanças tornam o contato ocular "um ato de comunicação carregado de energia e emoção", segundo as palavras do Centro de Oxford. "Normalmente", eles acrescentam, "restringimos isso a olhadas bem rápidas."

Duas pessoas paquerando fazem mais contato ocular do que um casal "normal". Os prováveis namorados também assumem posições em que possam olhar mais um para o outro e mais diretamente.

Exercício 6.1: Auto-observação – contato ocular

Sente em frente ao seu parceiro.

- Olhem-se.
- Agora sentem um ao lado do outro.

Provavelmente vocês farão menos contato ocular na posição lado a lado, porque vocês podem se tocar sem se preocupar com isso, como você faz quando segura a mão de alguém.

Estou olhando para você, menino

Pais dedicados fazem muito contato ocular com seus bebês. A mãe faz cócegas, acaricia e alimenta o seu bebê – e olha para ele enquanto o faz. O pai faz praticamente a mesma coisa – e o olhar vira brincadeira.

Esses jogos com os olhos são bem antigos. Eu apostaria que os pais na Idade da Pedra já faziam isso. Você olha para o bebê, desvia os olhos, faz um barulho como "coocoocoo", olha de novo. É divertido. No final, quando o bebê tem cerca de nove meses, essas "sequências" se desenvolvem em esconde-esconde; esse é um jogo de suma importância porque ensina aos bebês que é necessário fazer coisas em sequência e saber a sua vez. Você some, reaparece, some de novo.

Dada a importância do contato ocular, não é tão surpreendente que bebezinhos consigam perceber quando alguém está olhando diretamente para eles. Psicólogos de Londres e Pádua mostraram fotografias de rostos a crianças de dois a cinco dias de idade. Em uma fotografia, os olhos estavam voltados para um lado (olhar desviado). Na outra, os olhos olhavam diretamente para frente (olhar direto). Os bebês olhavam mais tempo para as fotografias dos rostos cujos olhos olhavam diretamente para eles.

A Figura 6.1 mostra a diferença entre o olhar direto e o olhar desviado.

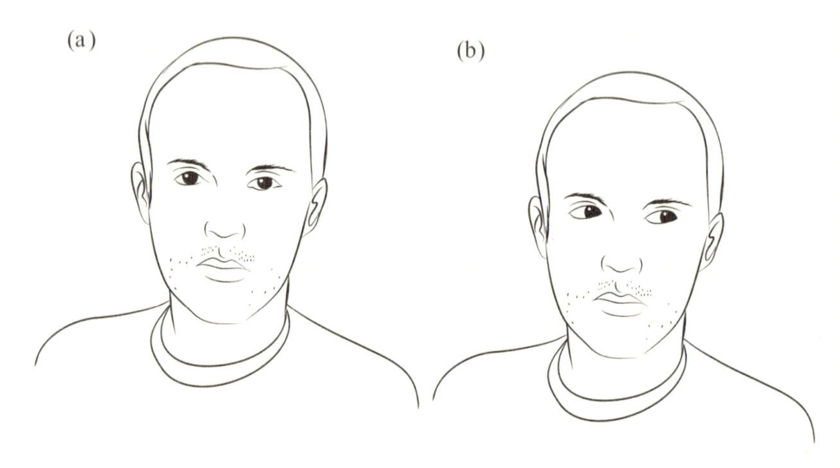

Figura 6.1 Olhar direto e olhar desviado

Isso se reflete na maneira pela qual o cérebro processa o que vemos. Na idade de quatro meses, os bebês normais aprendem a processar informações de rostos que olhem diretamente para eles mais rapidamente do que informações de rostos com o olhar desviado (FARRONI et al., 2002). Um mês depois, eles ficam ainda mais seletivos e gastam mais tempo olhando para rostos com olhos grandes.

Olhos grandes marcarão você pelo resto da vida, especialmente se você for homem. Os homens americanos afirmam achar as mulheres com olhos grandes e distanciados especialmente atraentes. As mulheres dizem que os homens com olhos grandes são atraentes. (Mas, estranhamente, as pessoas não se vangloriam dos seus grandes e profundos olhos nos anúncios do Lonely Heart!)

Um homem que levou essa ciência a sério foi o diretor Steven Spielberg. No filme *ET*, ele decidiu que seria uma boa ideia dar ao extraterrestre olhos grandes para que parecesse um bebê. *ET* tornou-se um dos filmes comercialmente mais bem-sucedidos da história. Não estou dizendo que foi tudo graças aos grandes olhos do ET – mas eles provavelmente ajudaram.

O cuidado dos pais permite que os bebês aprendam algumas das regras do contato ocular. Mas, quando as crianças são maltratadas ou são autistas, esse sistema tão complexo nunca funciona adequadamente – e isso surte efeitos profundos em seu comportamento.

Histórico de caso

Uma menina de dois anos diagnosticada como autista tendia a não olhar para a mãe, até mesmo quando a mãe colocava o rosto diretamente de frente para o rosto da filha. As crianças normais mostram brinquedos ou objetos aos pais, mas a menina não. Os pais diziam que ela geralmente fazia pouco contato ocular. Uma forma de atrair a atenção dela era chamá-la pelo nome e nem mesmo isso funcionava muitas vezes; a melhor maneira era segurar o rosto da filha com as mãos e virá-la para forçá-la a olhar para eles.

O psicólogo animal, Niko Tinbergen (1972), estudou crianças autistas e afirmava que geralmente elas ficam apenas assustadas com um contato muito direto – como os pássaros em algumas situações.

Cientistas cerebrais estudaram como os cérebros dos bebês respondem ao ver rostos que olhem diretamente para eles e como isso difere quando os rostos estão desviados. Eles gravaram a atividade cerebral de 33 bebês para estudar a "onda lenta positiva" (PSW) enquanto os bebês olhavam para uma atriz que havia sido instruída a parecer triste, feliz ou irritada (Figura 6.2).

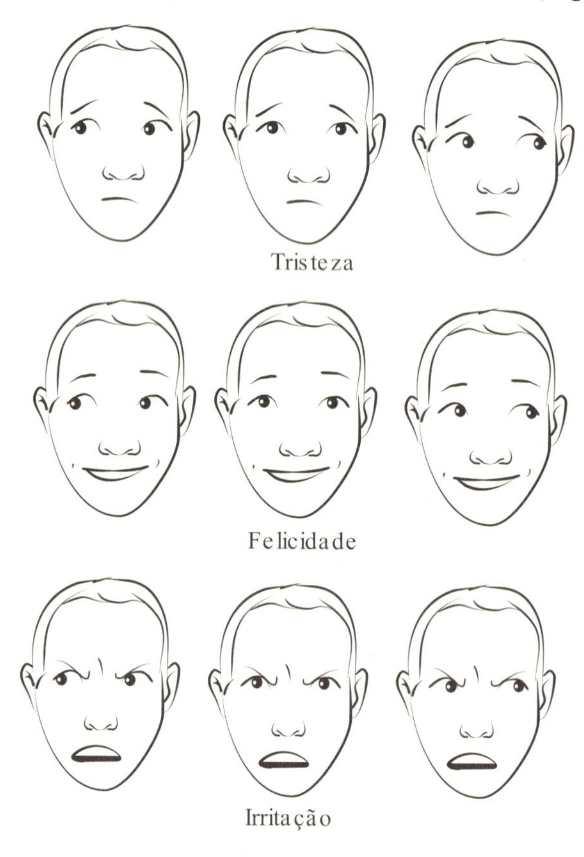

Figura 6.2 Nove tipos de olhar direto e desviado para os bebês reagirem

Os psicólogos observaram que havia diferenças na onda lenta positiva – mas somente, eles se surpreenderam ao descobrir, quando a atriz demonstrava irritação. Eles esperavam que um rosto sorridente também ocasionaria uma maior onda lenta positiva, mas isso não aconteceu. Eles deram uma explicação interessante. Os bebês veem rostos sorridentes o tempo todo, mas não costumam ver muitos rostos irritados – ou ao menos não veem se os pais cuidarem deles adequadamente. Então, o rosto irritado é novidade. E novidades requerem atenção imediata porque poderiam ser uma ameaça, então isso causa uma onda lenta positiva maior.

Esse resultado não foi isolado. Quando crianças com problemas olham para rostos, a resposta em seu cérebro é dramaticamente diferente daquela de crianças normais. Na década de 1990, quando a imprensa mundial expôs as condições chocantes dos orfanatos romenos, um estudo analisou como os órfãos respondiam a fotografias de rostos. Setenta e duas crianças de sete meses a dois anos e oito meses olhavam para fotografias nas quais as pessoas pareciam irritadas, felizes, assustadas ou tristes. Os seus padrões de resposta cerebral foram muito diferentes daqueles das crianças normais.

Há uma grande diferença, porém, entre o contato ocular que se faz com um bebê e o contato ocular com um adulto: você pode olhar para um bebê por muito tempo sem que ele se sinta ameaçado. E isso suscita uma pergunta: em que idade as crianças aprendem que é grosseiro e/ou agressivo encarar os outros? Ninguém tem a resposta ainda.

Pensamos no contato ocular como algo firme, mas, é claro, até mesmo quando olhamos com amor para alguém, piscamos. Piscar é um dos reflexos humanos básicos.

Piscar

Normalmente, piscamos cerca de 25 vezes por minuto, embora não tenhamos consciência disso. Então, se não piscarmos ao olhar para alguém, é preocupante.

Niko Tinbergen disse que piscar os olhos é um movimento primata bem conhecido. "No momento em que você experimenta o mínimo de estresse, as pálpebras piscam. Bang! Bang! Bang!"

A taxa de piscadas aumenta de 25 a 50 por minuto quando alguém é entrevistado na televisão – e muito mais se estiver na televisão para afirmar que deve ser o próximo presidente dos Estados Unidos. Nos debates presidenciais de 1996, o candidato Bob Dole piscou 147 vezes por minuto – sete vezes acima do normal. O presidente Bill Clinton piscou 99 vezes, mas essa taxa aumentou para 117 por minuto quando respondia a perguntas capciosas, como uma sobre o aumento no uso de drogas por adolescentes durante o seu primeiro mandato.

O agente do FBI Joe Navarro, cujas observações mencionei no último capítulo, considera que um índice de piscadas acima do normal é um bom sinal de culpa e ansiedade. E o FBI detectou alguns requintes nas piscadas. Navarro assistiu quando Matt Lauer, do *The Today Show*, na NBC, falava que Madonna havia mentido para ele sobre a sua gravidez. Navarro afirmou que, quando Lauer perguntou, "Você está grávida?", ele não percebeu algo que o FBI costuma enfocar: o *tremelicar das pálpebras* (veja a Figura 2.12).

O tremelicar das pálpebras é diferente do piscar: com a câmera em alta velocidade, vemos que o olho não fecha completamente, e a velocidade é espantosa. Navarro observou pela primeira vez esse comportamento da pálpebra em 1985 e constatou que as pessoas que estão perturbadas com uma pergunta costumam fazer isso, especialmente se estiverem prestes a mentir. "Eu digo aos advogados para observar o tremelicar dos cílios das pessoas na banca de testemunhas; significa que elas realmente não gostam nada da pergunta", aconselha ele.

A lei do "ouvir e olhar"

Geralmente, ao falar, o falante desvia os olhos mais do que o ouvinte. Isso não é o esperado. Somos ensinados a olhar para as pessoas quando falamos com elas, mas muitas pesquisas confirmam que se torna desconfortável olhar muito para as pessoas. Então, um falante habilidoso apenas gastará aproximadamente 40% do tempo fazendo contato ocular, o qual será intermitente. A maioria dos episódios de olhar direto durará cerca de um a quatro segundos – e nada mais.

O contato ocular também sinaliza que você está quase terminando. Quando as pessoas estão prestes a terminar o discurso, elas vão – muito inconscientemente – fazer um breve contato ocular com o seu ouvinte. Isso sinaliza que agora é a vez do outro falar.

Para enviar a mensagem não dita que se quer falar, especialmente para alguém que demonstre não querer parar de falar, o padrão é diferente. O ouvinte vira a cabeça, faz gestos definitivos e inspira, porque precisará de muito fôlego para falar.

Dica

Olhe para a boca da pessoa que estiver ouvindo você. Ela deve estar relaxada e quase parada. Não deve estar assimétrica, uma posição que, sabemos, reflete desconforto.

Um sinal não verbal realmente incômodo ao conversar é o bocejo contido, quando alguém fecha a boca e expira através dos lábios apertados. É possível ver as bochechas inflarem discretamente quando isso acontece.

Quando você quer mostrar que está concentrado em quem fala, é preciso olhar para o rosto do falante cerca de 60% do tempo – mais do que os mais normais 40%.

As regras básicas para manter o fluxo da conversa são:

• olhar para o rosto do outro mais quando se ouve;

• desviar o olhar mais ao falar;

• fazer contato ocular breve para indicar que, em alguns segundos, o outro deve falar.

Se alguém estiver distraído, poderá sorrir assimetricamente e virar a cabeça nervosamente. Uma segunda maneira de perceber se alguém está prestando atenção a você é verificar se ele está ouvindo não apenas o que você diz, mas o ritmo da sua conversa. Assentir com a cabeça e sorrir são jeitos eficazes de encorajar alguém a falar.

É possível controlar as conversas em uma extensão surpreendente com tais movimentos. Se você assentir com a cabeça, sorrir para a pessoa que está falando – especialmente se você sorrir quando ela pausar – ela sentirá que você é um bom ouvinte e que se importa. Isso precisa ser feito sutilmente ou ela pensará que você está tentando manipulá-la.

No contato ocular, "breve" é a palavra-chave. Olhares muito longos são mais ameaçadores do que empáticos.

Contato ocular e poder

Nos filmes de *Drácula* de 1931, 1973 e 1979, os atores Bela Lugosi, Jack Palance e Frank Langella *arregalavam os olhos* antes de morder o pescoço da vítima e sugar seu sangue. Aqueles que serviram a alguns líderes, como o General Montgomery, que lutou na Batalha de El-Alamein, e o dirigente do Manchester United, Sir Alex Ferguson, não os comparam a vampiros, mas comentam a maneira penetrante com a qual eles olhavam para as pessoas. Homens e mulheres fortes esmorecem sob o olhar desses super-homens. Consciente ou inconscientemente, eles usam o que os psicólogos chamam de *olhar poderoso*.

Às vezes as pessoas dizem que uma pessoa que encara você com esse olhar parece ter um terceiro olho no centro da testa – um terceiro olho que olha implacavelmente de cima. Mas nós podemos dividir a linguagem poderosa do olhar em alguns elementos básicos.

Olhos acesos

Quando nos surpreendemos, dois músculos das pálpebras – o *tarso superior* e o *tarso inferior*, para ser específico – ampliam as cavidades oculares para que os olhos pareçam mais redondos, maiores e mais brancos (Figura 6.3). Isso acontece quando ficamos emocionados ou nos sentimos ameaçados. A ampliação nos permite ver melhor com o canto dos olhos e é controlada pela parte do sistema nervoso que podemos chamar, cruamente, de sistema *lute ou fuja*. O fato de que os sinais fisiológicos produzem olhos acesos torna-os difíceis de serem falsificados, então eles são sinais muito confiáveis de *terror* ou *ira*, que podem preceder agressão verbal ou ataque físico.

As sobrancelhas também podem ser reveladoras.

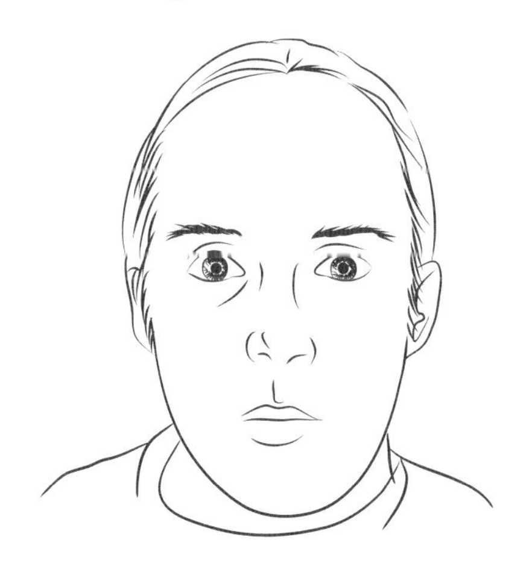

Figura 6.3 Olhos acesos

Abaixar as sobrancelhas

Charles Darwin observou que os macacos, especialmente os babuínos, ao ficarem furiosos ou excitados, "movem rápida e incessantemente as sobrancelhas para cima e para baixo" (DARWIN, 1872: 138). E o que acontece na selva também parece acontecer na creche. Uma criança prestes a bater em outra primeiro olhará para a vítima. Um cientista encontrou um padrão muito específico nas crianças antes de uma briga. Ele o descreveu como "o que parece um franzir da testa com as sobrancelhas abaixando, com um pequeno sulco vertical na testa ('franzir baixo')" (BLURTON JONES 1967: 355) (veja a Figura 6.4)

O abaixamento repentino das sobrancelhas também é um bom sinal de que alguém discorda de você ou nem se importa com o que você diz. Isso está ligado aos sinais de desagrado que eu discuti no capítulo 5 (veja a página 93).

Movimentos dos olhos

É óbvio que o lugar para onde se olha pode refletir o que você está pensando, mas alguns especialistas também acreditam que a direção dos movimentos dos olhos é muito reveladora. Eles estudaram os "movimentos oculares laterais conjugados", ou Clems: movimentos oculares involuntários para a direita ou esquerda que acompanham o pensamento. As pessoas podem ser divididas em agentes de movimentos para a esquerda e direita, porque aproximadamente 75% dos movimentos oculares laterais conjugados de um indivíduo são para uma direção.

Um estudo conhecido analisou os Clems de matemáticos enquanto pensavam. Constataram que o movimento para a direita estava associado ao pensamento simbólico, como "Quanto é A mais B?", enquanto o movimento para a esquerda estava asso-

Figura 6.4
Sobrancelhas abaixadas

ciado ao pensamento visual. Os matemáticos cujos olhos moveram-se para a esquerda foram considerados mais criativos pelos colegas.

As observações mais ambiciosas sobre os movimentos oculares foram feitas por uma escola de terapia chamada Programação Neurolinguística (PNL), que começou na Califórnia.

Sapos que viram príncipes

Na década de 1960, Richard Bandler e John Grinder, dois psicólogos da Califórnia que queriam saber por que alguns psicoterapeutas obtinham ótimos resultados e outros não, conseguiram convencer três famosos psicoterapeutas a deixá-los estudar como trabalhavam. Suas cobaias impressionaram. Fritz Perls criou a terapia Gestalt, Virginia Satir foi a pioneira na terapia familiar e Milton H. Erickson foi um líder da hipnoterapia.

Grinder e Bandler analisaram a maneira pela qual falavam, seus gestos e movimentos oculares. Eles também entrevistaram algumas das pessoas que os terapeutas tratavam. Os resultados foram impressionantes. Os pacientes tendiam a dar sinais do seu pensamento inconsciente pela maneira que seus olhos se moviam, assim como mudanças de postura, gestos e tom de voz. Bons terapeutas captavam tudo isso sem perceber conscientemente o que estavam fazendo. Bandler e Grinder acabaram desenvolvendo um guia muito preciso no seu livro *Frogs into Princes* (1990) (*Sapos em Príncipes*).

Uma das afirmações mais dramáticas foi que a direção dos olhos revela se alguém está construindo uma imagem ou lembrando de uma imagem. É memória ou fabricação? Se alguém tem de construir a imagem de um evento, é lógico que tal evento nunca aconteceu, então a pessoa deve estar mentindo.

A Figura 6.5 mostra o mapa de Bandler e Grinder sobre o lugar para onde os olhos podem se mover, que é a base de todas as suas descobertas.

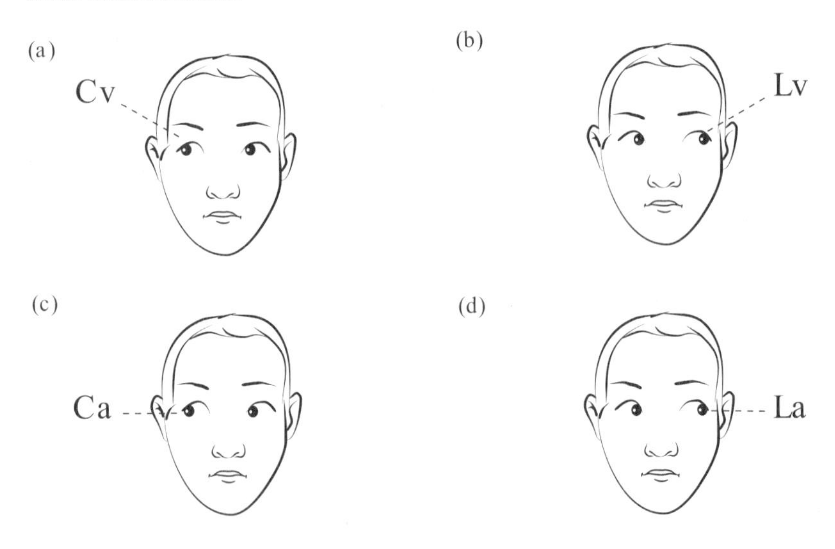

Figura 6.5 Sinais de acesso visual

As experiências de Richard Bandler e John Grinder investigaram em que direção uma pessoa destra "normalmente organizada" olha ao fazer uma pergunta. Com base nos resultados, eles alegam que:

- *Olhar para cima e para a esquerda* (do ponto de vista do observador) mostra que é uma imagem *construída visualmente (Cv)*. Se você pedir a alguém para imaginar uma girafa rosa estrelada – uma criatura que ele nunca poderia ter visto – os seus olhos se movem nessa direção enquanto ele "constrói visualmente" a girafa rosa em sua mente.
- *Olhar para cima e para a direita* mostra que é uma imagem *lembrada visualmente (Lv)*. Se você pedir a alguém para lembrar a cor do seu primeiro carro, os olhos dela se moverão nessa direção enquanto ela acessa as memórias do carro vermelho amassado que tinha aos 18 anos.
- *Olhar para a esquerda* mostra que é uma imagem *construída auditivamente (Ca)*. Se você pedir para alguém tentar criar o som do tom mais alto possível, os seus olhos se moverão nessa direção enquanto ele pensa sobre a pergunta e tenta construir um som que nunca ouviu.
- *Olhar para a direita* mostra que é uma imagem *lembrada auditivamente (La)*. Se você pedir a alguém para lembrar do som da voz da mãe dele, essa seria a direção dos olhos enquanto ele tenta ouvir o que lembra ser a voz da mãe.
- Os canhotos terão os significados opostos nas direções dos olhos.

A Programação Neurolinguística (PNL) alega que essas descobertas podem ser usadas para detectar mentiras. Por exemplo, a filha da sua amiga pede a você um biscoito de chocolate e você diz, "Bem, o que a sua mãe disse sobre comer chocolate?" Se, ao responder, a filha da sua amiga olhar para a esquerda, isso sugeriria que ela está inventando a resposta. Seus olhos estão mostrando uma imagem ou voz "construída". Mas se ela olhar para a direita, indicaria uma voz ou imagem "lembrada" de algo que aconteceu, então ela está dizendo a verdade.

O mágico David Blaine interessou-se pelas afirmações da PNL. Mas, Blaine sugere, perceber se alguém está mentindo ou não a partir da posição dos olhos não é exatamente simples; ele debocha de alguns detetives da televisão, onde o detetive mega-inteligente declara: "O suspeito olhou para baixo e para a esquerda. Culpado até a morte". Blaine aceita que muitos críticos acreditem que as informações anteriores são bobagens. Mas, ele acrescenta: "Em minhas experiências, constatei que essas técnicas são mais verdadeiras do que falsas".

O futuro do contato ocular

A ciência do olhar e do contato ocular ainda é imperfeita. Mas, num futuro próximo, podemos ser capazes de localizar para onde as pessoas estão olhando e por quanto tempo. Tudo o que devemos fazer é aprender as lições que os pilotos da aeronáutica aprendem. Na cabine, eles olham para os painéis quando voam duas vezes mais rápido do que a velocidade do som, e o painel fornece um fluxo de informações sobre os alvos, onde os alvos estão se mexendo e muito mais. Eles são mestres em tudo o que medem.

No futuro, os óculos terão painéis embutidos nas lentes. Então, ao descer a rua – em uma velocidade menor que a do som – os seus óculos sofisticados sussurrarão em seus ouvidos, "homem a 150 graus leste olhando diretamente para os seus seios durante três segundos".

"Amplie", você sussurrará aos seus óculos. E depois você tomará decisões instantâneas de cognição quente. Ele é bonito?

A resposta certa é "corra" ou "paquere"? Se ele realmente for atraente, comece a paquerar. Ao menos você será capaz de dizer para ele, com absoluta convicção: "Eu vi você olhar para mim".

Isso um dia acontecerá? Eu acho que sim – em parte porque algo assim já está acontecendo na High Street. Cadeias de supermercados empregam especialistas que usam óculos especialmente projetados que os permitem andar pela loja e gravar como os funcionários se comportam com os clientes. Os óculos têm uma microcâmera que se comunica com um gravador. Os funcionários, é claro, não têm ideia de que estão sendo observados. Mas os chefes do supermercado veem tudo.

Agora é hora de descobrir se o poeta estava certo quando disse que os olhos são as janelas da alma.

7
A linguagem do rosto

"O inferno são os outros", dizia o filósofo francês Jean-Paul Sartre. Eu não acho que ele tinha totalmente razão. Seria mais preciso dizer: "O inferno são os outros que sabem o que você está pensando". E não há maneira melhor de saber o que o outro está pensando do que olhar para o seu rosto. Todos os músculos dão pistas e essas pistas funcionam na maioria das culturas – de Nova York a Nova Guiné.

Os psicólogos constataram que em todas as sociedades as pessoas acham fácil perceber seis expressões emocionais básicas (veja a Figura 2.2, p. 44):

- felicidade
- tristeza
- medo
- desagrado
- surpresa
- raiva

Somos espantosamente bons para perceber se alguém está feliz. Apenas pessoas com sérios danos cerebrais não são capazes de gerenciar isso. Tendemos a ser 80% precisos nas outras cinco expressões emocionais. E elas podem ser bem sutis. Mas não conseguimos ser tão precisos na hora de saber se alguém que aparente tristeza está fingindo.

Neste capítulo, abordo:

- Como os psicólogos estudam as expressões faciais e como reconhecem o que significam.
- Como diferenciar sorrisos sinceros e falsos e o significado do sorriso que mostra os dentes.
- Movimentos da cabeça e do rosto.
- Orelhas e dentes: sim, os seus dentes podem revelar se você é um assassino serial (o que é mais sério, as pessoas revelam muito quando rangem os dentes – um indicativo de ansiedade).
- Algumas novas e fascinantes pesquisas sobre que partes do cérebro devem estar funcionando bem para entendermos o que as pessoas sentem de acordo com o que o rosto aparenta.

Exercício 7.1: Auto-observação

Olhe para o rosto de alguém que esteja de frente para você. Veja quantas expressões e movimentos diferentes você consegue captar em cinco minutos. Até mesmo quando dormimos, nossos olhos e rosto se mexem. Somos capazes de ver o rosto de alguém franzir-se, relaxar, enrugar-se, endurecer – e sorrir.

Demonstrações do bebê

Não há nada tão doce, ou tão tolo, quanto a mãe e o pai debruçados com ternura sobre o berço e explodindo de orgulho, enquanto dizem: "A pequena Harriet acabou de sorrir. Você não viu o sorriso doce dela?" Já foi observado que os bebês sorriem quando têm apenas algumas horas de vida, mas os céticos tendem a alegar que isso não ocorre porque o bebê está satisfeito por ter nascido na família Jones, em Streatham – mas porque adquiriu consciência.

Os pais descobrem rapidamente que uma das maneiras mais eficazes de conseguir um sorriso ou gargalhada é fazendo cócegas. Um psicólogo chamado William Preyer relatou em 1909 que conseguia fazer um bebê de oito semanas sorrir e gargalhar fazendo cócegas suaves.

Você cria vínculos com o bebê que sorri com você. Depois vocês começam a se divertir juntos. O psicólogo inglês C.W. Valentine (1970) observou que um dos seus filhos gargalhou pela primeira vez aos 29 dias de idade. Quando a criança tinha cinco meses de idade, ela sorria e dava gritos de alegria ao bater no piano da família 49 vezes. Valentine não registrou os próprios sentimentos, mas aposto que ele estava sorrindo para o seu filho musical.

Conforme crescemos, sabemos que – como Ricardo III – podemos sorrir e "matar enquanto sorrimos". Começando a partir da idade de 36 a 48 meses, os bebês são capazes de sorrir mesmo sem querer. E, como crianças, aprendemos muito rápido que os sorrisos podem ser lucrativos.

Na minha pesquisa de doutorado, observei que meninos e meninas de três anos que haviam acabado de fazer algo errado paravam no momento em que haviam batido em outra criança, sorriam encantadoramente e diziam: "Sou muito travesso". Era muito comum os pais e professoras da creche sorrirem – e não os repreenderem muito.

Sorria e o mundo sorrirá com você

Confiamos mais em indivíduos sorridentes do que naqueles que não sorriem (Figura 7.1). As garçonetes que sorriem mais ganham mais gorjetas – e os candidatos políticos que sorriem mais conseguem mais votos. Em 50 fotografias de George W. Bush e Al Gore coletadas aleatoriamente na imprensa durante a eleição americana de 2000, Bush demonstrou sorrisos mais significativamente genuínos do que o lúgubre Gore. Uma pesquisa da Gallup antes do dia da eleição mostrou que Bush estava cotado como mais confiável do que Gore. O mundo pagou o preço, poderíamos retrucar.

Figura 7.1 O sorriso confiável

Sorria e o mundo não apenas sorri com você – ele vota em você e lhe dá dinheiro. Poucos pedintes perceberam isso, todavia. Eu tenho o hábito de sempre dar algum trocado a eles, porque qualquer um de nós poderia parar nas ruas, mas os moradores de rua com deficiências na linguagem corporal inevitavelmente apenas sorriem depois de ganhar a moeda.

Temos um total dilema, então. Como saber se o sorriso oferecido a nós é genuíno e não uma tentativa vil de nos lograr?

A história da pesquisa sobre os sorrisos é interessante. Cerca de 150 anos atrás, um médico francês chamado Guillaume Duchenne começou a estudar os sorrisos. Estranhamente, ele foi professor de um psiquiatra francês chamado Jean Martin Charcot, que foi professor de Freud – que escreveu um livro sobre piadas.

Algumas das obras modernas mais interessantes sobre sorrisos genuínos e falsos foram criadas por um psicólogo americano, Paul Ekman, que levou grande parte da sua carreira mapeando todas as expressões que o rosto humano pode assumir – e entendendo o que podemos perceber nelas.

Exercício 7.2: Auto-observação

Tente um dia ir para o trabalho sorrindo. Tente ir para o trabalho sem sorrir.

As pessoas reagem de forma diferente?

Alguém pergunta por que você fica rindo o dia inteiro?

O sistema de codificação da ação facial

Ekman e seu colega Wallace Friesen (1982) produziram um atlas do rosto que possibilitou dividir qualquer movimento facial nas menores "unidades de ação", ou AUs, como as denominavam. Cada uma delas baseia-se em que músculos se mexem.

Eles não conseguiram encontrar ninguém comprometido o suficiente em levar dias produzindo semblantes tristes, felizes, chateados, assustados ou insatisfeitos, então tiveram de usar a si mesmos como sujeitos. Foi um trabalho de amor. Graças ao trabalho deles, agora sabemos quais músculos se contraem para produzir qualquer uma das milhares de expressões lentas e ligeiras que se apresentam em nosso rosto.

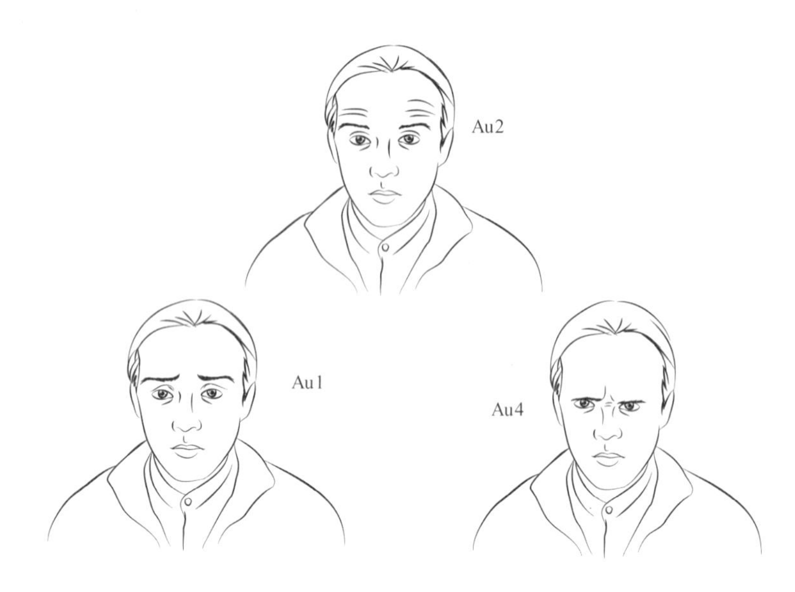

Figura 7.2 Codificação da ação facial

Eles denominaram a sua forma de medir e decodificar as expressões "Sistema de Codificação de Ação Facial" (Facs). A Figura 7.2 é um exemplo que mostra o quanto a obra deles é meticulosamente detalhada.

Há três unidades de ação Facs na área da testa. A Au 1 (ação dos *frontais* internos) levanta os cantos internos das sobrancelhas, formando pregas na parte mediana da testa. A Au 2 (ação dos *frontais* externos) levanta a porção externa das sobrancelhas, formando pregas na lateral da testa. A Au 4 (ação do *procerus*, *corrugador* e *depressor do supercílio*) puxa as sobrancelhas para baixo e juntas, formando pregas verticais entre elas e pregas horizontais perto do *nasion*. As combinações das Aus mostram como elas podem se unir para formar compostos dos semblantes que cada uma produz separadamente.

Ao concluir o atlas, Ekman e Friesen ficaram espantados com as descobertas. No século XIX, Duchenne havia escrito sobre a importância de um músculo facial, o *zigomático maior*, mas ele nunca concluiu a pesquisa. Ekman e Friesen concluíram. Eles descobriram que o ZM, como chamarei, é um verdadeiro revelador da verdade, porque nunca se envolve em expressões emocionais negativas. Outros músculos são mais instáveis. Aquele com o nome maravilhoso de *corrugador*, por exemplo, pode ser usado para transmitir mensagens emocionais diferentes – felicidade, tristeza e até desagrado.

Com o ZM não funciona assim.

Um sorriso em que os cantos dos lábios são puxados para cima e para os lados pode ser produzido por inúmeros músculos, inclusive pela ação dos músculos *zigomático maior, zigomático menor, bucinador, risório* e *canino*. Mas a pergunta-chave a fazer ao olhar para alguém que está sorrindo para você é: ele(a) está usando o zigomático maior?

Se estiver, ele(a) está sendo sincero(a).

Se não estiver, é quase certo que não está sendo sincero(a).

Exercício 7.3: Auto-observação

Olhe-se no espelho. Sorria. Aprenda a localizar o seu próprio ZM.

Conte ao seu melhor amigo uma história engraçada e observe o rosto dele. O ZM se mexe?

Conte uma piada ruim – e veja o que acontece.

Nos 150 anos de pesquisas com sorrisos, porém, ninguém fez duas perguntas fundamentais. Primeiro, as pessoas com personalidades maquiavélicas sorriem usando o seu músculo zigomático maior? Segundo, vimos que os bebês começam a sorrir quando têm cerca de dois meses, mas em que idade começam a usar o seu ZM?

Quando os sujeitos usavam o ZM, Ekman e Friesen (1982) acharam, eles diziam estar felizes. Não havia conexão entre os outros músculos usados para produzir um sorriso e a maneira que os sujeitos afirmavam se sentir. Quanto mais ativo o músculo ZM, mais autêntico o sorriso.

Verificando possibilidades alternativas, os psicólogos também estudaram o que acontecia quando os sorrisos eram menos espontâneos. Eles separaram 36 meninos e meninas para ouvir piadas e depois pediram que os sujeitos observassem expressões de sorrisos na televisão. Depois, pediram a eles que imitassem esses sorrisos da televisão. Quando ouviam as piadas, os psicólogos afirmaram, as crianças sorriam espontaneamente, já que a diversão das piadas estava sendo testada; quando as crianças eram solicitadas a imitar os sorrisos, os psicólogos afirmaram que o sorriso era menos espontâneo, mais forçado. Essa diferença apareceu nos músculos que eles usaram para produzir sorrisos. Quando pediam para reproduzir os sorrisos que haviam visto na televisão, os meninos e meninas usaram menos o músculo ZM.

O pedido para sorrir deliberadamente também levou a movimentos mais assimétricos. Por quê? Tudo se deve à biologia. Essa questão é complexa, mas o argumento principal é claro. Sorrisos forçados, sorrisos que não têm um motivo real subjacente, são menos intensos do lado esquerdo do rosto. Nos destros, o lado esquerdo do rosto é controlado pelo lado direito do cérebro. Para condensar 40 anos de pesquisas sobre o cérebro: o lado direito do cérebro é mais emocional e menos capaz de mentir do que o racional lado esquerdo do cérebro. O lado esquerdo do cérebro controla o lado direito do rosto e pode "dizer" a ele para adotar um sorriso aparentemente sincero, mas o lado direito do cérebro, menos sorrateiro, não é capaz de fabricar um sorriso tão convincente do lado esquerdo do rosto com tanta facilidade. Então o sorriso no lado esquerdo do rosto é menos intenso, como resultado.

Esta não é a única pista na qual confiamos, porém. Os adultos também usam as diferenças entre a boca e os olhos para julgar a sinceridade de um sorriso. Se a boca sorri enquanto os olhos olham para baixo ou para o lado, por exemplo, tenderemos a ver o sorriso como menos sincero.

Exercício 7.4: Experiências e jogos

Isto é mais uma charada do que ciência séria. Reúna um grupo de amigos. Fabrique uma aparência que você considere feliz, triste, irritada, insatisfeita, assustada ou surpresa. Não diga nada. É um teste para avaliar a capacidade de ler rostos sua e a de seus amigos. Veja com que precisão todos vocês adivinham as seguintes expressões.

- *Felicidade*: deve ser perfeita; 100% das pessoas reconhecem as expressões de felicidade.
- *Tristeza*: geralmente 80% daqueles que veem um rosto triste o reconhecem como tal.
- *Raiva*: enquanto 80% das pessoas reconhecem um rosto com raiva, a maioria de nós não é tão boa para perceber o início dos avisos de sintomas de raiva. Se aprender a perceber isso, como as sobrancelhas abaixando, você será capaz de evitar brigas.
- *Medo*: de acordo com Ekman e Friesen, as pessoas reconhecem o medo nas fotografias em 80% do tempo.
- *Desagrado*: também reconhecemos uma expressão de desagrado em cerca de 80% do tempo.
- *Surpresa*: expressões de surpresa são curtas e difíceis de detectar em tempo real, de acordo com Ekman e Friesen.

Semblantes de desagrado têm sido o foco de algumas pesquisas recentes muito interessantes com portadores do gene da debilitante doença chamada Coreia de Huntington. Demonstrou-se que os portadores desse gene têm problemas para reconhecer expressões de desagrado, e isso acontece tanto no Ocidente quanto na China. O cientista alemão Andreas Hennenlotter (2005) detectou que esses pacientes têm danos em uma pequena parte do córtex chamada *ínsula medial dorsal esquerda*. Uma importância real dessa descoberta é que ela mostra o quanto nosso cérebro é minuciosamente organizado em termos de reconhecimento das expressões emocionais.

E ele afirma ter encontrado outro circuito no cérebro que controla o reconhecimento de surpresa. A sua localização – o *lobo temporal medial* – é importante para a neurociência, mas, para o resto de nós, o espantoso é que um milímetro de nosso córtex deve funcionar bem para que percebamos quando alguém está surpreso.

Altruísmo

Quero terminar este capítulo falando de um traço da personalidade que você não pensaria ser possível de perceber pela linguagem corporal.

Quatro psicólogos canadenses afirmam que as pessoas são capazes de identificar quem é mais altruísta só em olhar. Eles pediram que as pessoas lessem um excerto de *Chapeuzinho Vermelho* por um minuto, enquanto os outros observavam. Os observadores, sem saber, concentraram-se em quatro aspectos da linguagem corporal que estão sob controle involuntário. Foram eles:

1 a extensão do sorriso;

2 rugas de preocupação (quando a sua testa se enruga);

3 a duração do sorriso;

4 a simetria do sorriso.

Não somos capazes de controlar nenhum deles, embora alguns indivíduos consigam manipular os músculos faciais para produzir uma ruga de preocupação.

Os canadenses também abordaram pistas não verbais que um indivíduo consegue controlar, mas que são difíceis de fingir. A primeira, você deve lembrar, deu a Joe Navarro a ideia de que Madonna estava mentindo no *The Today Show*. As pistas não verbais foram:

1 piscar e levantar a sobrancelha;

2 balançar a cabeça;

3 sorrisos abertos.

Eles observaram que os altruístas autodeclarados produziam significativamente mais rugas de preocupação, mais balanços da cabeça, sorrisos mais curtos e mais simétricos do que os não altruístas, todos sinais difíceis de fingir, porque estão ligados à expressão emocional espontânea. E um dos sinais você realmente não esperaria – o tamanho do sorriso. Sorrisos sinceros duram instantes fugazes, enquanto um sorriso falso fica estampado no rosto. Em relação aos sorrisos dos altruístas serem mais simétricos do que daqueles dos não altruístas, o motivo provavelmente foi a existência de menos conflito entre o racional lado esquerdo do cérebro e o lado direito, mais emocional e confiável.

Detive-me mais nessa pesquisa porque ela é um exemplo forte da forma pela qual as pessoas podem olhar para o rosto de alguém e perceber aspectos bem complexos da sua personalidade.

8
A linguagem corporal no trabalho

Elizabeth I da Inglaterra tornou-se rainha em 1558. Até a sua morte, em 1603, ela havia derrotado o Rei da Espanha, a Armada Espanhola e vários pretensos maridos. Ela conseguiu ser adorada e admirada pelos seus súditos, muito embora fosse, na verdade, uma líder em uma época em que líderes do sexo feminino não existiam.

Por outro lado, 300 anos depois, a Rainha Vitória comportou-se de maneira tal que os seus súditos a julgavam uma monarca fraca. Ela ficou profundamente deprimida depois que seu amado marido Albert morreu em 1859. Depois de entrar em luto, era pouco vista em público. As pinturas dela mostram uma mulher lastimosa, sem irradiar nenhuma majestade e com pouca autoconfiança. O seu primeiro-ministro favorito, Disraeli, finalmente conseguiu convencê-la a se mostrar mais aos súditos. Gradualmente, isso mudou a opinião pública a seu favor.

Qual era a diferença entre as duas rainhas? Uma era que Elizabeth era mestra em usar a linguagem corporal e muito consciente de si, como explicitou em um famoso discurso proferido em Tilbury.

> Eu sei que tenho o corpo de uma mulher frágil e débil; mas tenho o coração e o estôma-

> go de um rei e de um rei da Inglaterra também, e julgo um escárnio vil que Parma ou a Espanha, ou qualquer príncipe da Europa, ouse invadir as fronteiras do meu reino; para que a desonra não se apodere de mim, eu mesma empunharei armas, eu mesma serei seu general, juiz e compensarei todas as suas virtudes no campo.

Elizabeth falou montada no cavalo, a própria imagem da majestade; ela demonstrou ser absolutamente o oposto de uma mulher fraca e débil, além de estar tão bem-vestida quanto uma mulher do século XVI poderia estar.

Essas experiências históricas são relevantes ao mundo do trabalho atual, onde você precisa apresentar uma linguagem corporal confiante. Neste capítulo, trato de pesquisas sobre como:

- apresentar a melhor linguagem corporal em uma entrevista;
- analisar a linguagem corporal do seu chefe ou gerente;
- analisar a linguagem corporal dos seus colegas;
- cuidar-se nas reuniões;
- projetar carisma ou habilidades de liderança;
- tolerar quando estiver sendo avaliado ou enfrentando problemas.

Um assunto que eu não exploro, entretanto, é a linguagem corporal das vendas. Muitos textos iniciais sobre linguagem corporal eram obcecados por isso e davam infinitas dicas sobre como estabelecer afinidade ao vender enciclopédias ou aspiradores de pó de porta em porta. Eu trabalho muito em casa e, durante os últimos 25 anos, nunca fui visitado por alguém oferecendo uma enciclopédia que mudará a minha vida. Vender é um jogo muito diferente agora. O vendedor batendo à sua porta agora é a pessoa que telefona para vender toda a sorte de produtos ou a figura *online* que você nunca vê.

O líder

No mundo selvagem, os animais – especialmente animais sociais, como cães e macacos – conseguem estabelecer quem é o mais poderoso do grupo sem violência real. Se o cão-líder mordesse e mutilasse todos os cães "inferiores" do grupo, o grupo logo se tornaria vulnerável. Os animais sabiamente criaram rituais para mostrar quem é o líder sem derramar sangue.

Figura 8.1 Lobos demonstrando autoridade e submissão

O animal dominante costuma ser maior e mais alto. O animal submisso "sabe" disso e aceita a sua posição sem criar uma briga de verdade. É comum o animal mais fraco oferecer uma parte vulnerável do seu corpo ao animal mais forte, como na Figura 8.1, em que um lobo oferece o pescoço a um lobo maior.

O líder, entretanto, não morde o pescoço oferecido porque o mero ato de outro animal oferecer o pescoço é suficiente para deixar claro quem é o chefe. Então, ninguém se fere ao competir pelas melhores fêmeas ou pelos melhores pedaços de carne.

Os seres humanos são menos sãos e brigam o tempo todo – por motivos sérios ou extremamente triviais. Por aproximadamente um século, a França, o México e os Estados Unidos guerrearam por uma ilhota no Pacífico chamada Clipperton, cujo único recurso era o guano, os excrementos das aves marinhas. Na Idade Média, havia batalhas para decidir se os homens poderiam ter barba.

O senhor do banco

Em 1975, quando eu queria obter um empréstimo, ia falar com o todo-poderoso gerente do banco. Ele – sempre era um homem naquela época – sentava atrás da mesa em seu refúgio sagrado, um gabinete reluzente com uma enorme mesa polida. Um assessor abria a porta e me mandava entrar. Eu não oferecia o meu pescoço ao gerente do banco, mas me lembro de sempre me sentir tenso e tentando causar a melhor impressão.

Trinta anos depois, fui rever meus "requisitos bancários" na agência de West-End. A minha nova gerente emergiu de um espaço totalmente aberto. Ela nem tinha um gabinete próprio. Sim, grandes notícias, temos gerentes do sexo feminino – mas, ao se reunir com um cliente, ela dividia uma mesa em um pequeno cubículo. Não tinha assessor para trazer uma xícara de café. O seu gabinete e a sua linguagem corporal refletiam a verdade de que a minha gerente sem mesa não tem nada parecido com o poder dos seus antecessores, em 1975.

Derek Spencer, John Temple, Ian Springett e Bob Cumber, homens gentis que sentavam atrás da magnífica mesa na agência NatWest, em Knightsbridge, podiam decidir emprestar grandes somas porque o cargo de gerente bancário na época era decidir quem oferecia riscos ou não. Eles eram especialistas em linguagem corporal intimidadora e mestres do olhar fixo. Uma vez, eu saí do gabinete suando porque ele reclamou que eu sempre estava esbarrando no limite de crédito e às vezes até o extrapolava; esforcei-me muito para não dar sinais de linguagem corporal tensa, porque causaria uma impressão ruim.

Depois, apenas as decisões muito grandes eram levadas ao que um deles chamava de "deuses de Lothbury", onde ficava a sede do banco. Mas agora o gerente bancário tem muito menos *status*. Quase todas as decisões sobre empréstimos são tomadas centralmente pelo computador do banco. Ele verifica o seu histórico, consulta a sua cotação de crédito e decide sim ou não.

Os espaços de trabalho muito diferentes que esses gerentes usufruíam enfatizam a perda de *status*. Em 1975, o gerente tinha poder – e assessores para servir chá ou café – e uma mesa imponente; em 2007, ele(a) não tem mesa, assessores, nem tanto poder.

Os tempos mudam. E uma mudança que afetou a maioria de nós é que temos muito menos segurança no trabalho do que as pessoas tinham há alguns anos. Isso significa, é claro, que é muito mais provável termos de procurar novos empregos.

Linguagem corporal em entrevistas

Todos os anos, no Reino Unido, milhões de pessoas fazem entrevistas de emprego e, seja para um supermercado ou para um cargo de chefia, a linguagem corporal é crucial.

Muitos aconselham que você deve ser bem submisso. Nunca passe a ideia de que você pode ser alguém duro ou autoritário. Afinal de contas, você, o candidato, é que está pedindo emprego.

Alguns especialistas sugerem que você deve encher o entrevistador de retorno positivo. Um conselho precioso de *sites* de autoajuda (por exemplo, www.nationalbullyinghelpline.co.uk) é sentar e inclinar-se suavemente para frente de forma a projetar "interesse e compromisso com a interação. Também é prudente alinhar a posição do corpo com a do entrevistador, pois isso demonstra admiração e concordância" (Figura 8.2). A lisonja lhe dará o emprego.

Os entrevistados também devem "mostrar entusiasmo mantendo uma expressão interessada. Assente com a cabeça e faça gestos positivos com moderação, mas evite parecer uma vaca de presépio".

E, o que é meio bizarro, "levante-se e sorria ainda que esteja em uma entrevista telefônica. Estar de pé aumenta o seu nível de atenção e permite que você participe mais da conversa".

Figura 8.2 Postura de reflexo em uma entrevista

Proibições

• Não coce o pescoço – sugere que você não se importa ou que tem algo a esconder.

• Não coce o nariz – é desagradável e sugere que você está mentindo.

• Não coce nenhuma outra parte do corpo – é ainda pior.

• Não trema nem balance as pernas ou joelhos – sugere tensão; se algum dos entrevistadores já tiver sido policial, suspeitará que você tem um passado criminoso.

• Não lance um olhar vazio aos entrevistadores – sugere que você não tem nenhuma ideia em mente.

O problema com o conselho para ser submisso é que ignora o tipo de emprego que você está buscando. Se você espera ser Técnico de Contabilidade Junior n. 77, o conselho provavelmente faz sentido. Mas, se o emprego envolver tomada de decisões e chefia de outras pessoas, entrevistadores competentes poderão concluir, com razão, que você não é líder o suficiente com a sua linguagem corporal pateticamente submissa.

Então, observe o que o emprego realmente exige antes de decidir que mensagens de linguagem corporal enviar.

Entretanto, há três tipos de comunicação não verbal que costumam valer a pena mostrar.

1 Preste total atenção aos entrevistadores, usando todas as habilidades descritas até agora. É isso que o grande terapeuta Carl Rogers oferecia aos clientes.

2 Reflita um pouco a linguagem corporal deles – mas não muito.

3 Um pouco de entusiasmo raramente faz mal. Deve ser tanto verbal quanto não verbal.

Depois, quer tenha sucesso ou não, peça retorno, o que a maioria dos empregadores agora oferece. Pode ser doloroso ouvir que você falou com hesitação e pareceu confuso ao ouvir perguntas duras, mas o retorno dará a você informações vitais sobre a maneira pela qual os outros veem você – e o que você precisa mudar para sair-se melhor na próxima entrevista. Se conseguir o emprego, peça retorno da mesma maneira. Você terá de trabalhar com essas pessoas, então você precisa saber como elas o veem.

Dica

Seja consistente ao se apresentar. Não aja como um fracote em uma resposta e como o durão em outra, a menos que você consiga explicar por que está apresentando personalidades tão diferentes. Bons entrevistadores perceberão facilmente as contradições.

Vários *sites* americanos também oferecem a seguinte sugestão a pessoas entrevistadas: limite o uso de colônias e perfumes. Aromas invasivos podem causar alergia. Ser o candidato que causou dor de cabeça no entrevistador não funcionará a seu favor (sugestões e proibições sobre linguagem corporal para entrevistas podem ser acessadas em www.careerbuilder.com).

Histórico de caso: o CV mentiroso

Percebi o estrago que as contradições podem causar na maneira como você se apresenta quando me pediram para filmar candidatos ao cargo de executivo principal de uma empresa de médio porte. A agência de recrutamento queria ver como potenciais executivos se comportariam se fossem entrevistados pela imprensa. Os resultados foram elucidativos.

Dois candidatos ficaram muito nervosos. Uma era uma mulher que veio vestida de laranja gritante e com cabelo pintado de laranja; a aparência dela a desqualificava inteiramente, pensei eu. Mas o que eu achei mais interessante foi a linguagem corporal instável de um candidato do sexo masculino. Ele recostava e olhava para a distância como se estivesse ruminando profundos pensamentos pessoais. Então, de repente, ele tinha um sobressalto, inclinava-se para frente, sorria intensamente para mim e ficava animado e forçado, usando o indicador para apontar de maneira clássica e enfatizar as próprias ideias. Finalmente, toda a agressividade murchava, ele se recostava de novo, passava as mãos pelo cabelo e evitava contato ocular.

Estranho, pensei.

Embora o CV dele fosse excelente e sugerisse que ele era qualificado, a sua linguagem corporal sugeria algo diferente. Ele estava muito ansioso e parecia achar difícil prestar atenção. Os seus movimentos repentinamente agressivos sugeriam que ele poderia muito bem ser ameaçador como chefe. Subsequentemente, soube que o CV dele era mentiroso e que ele havia sido demitido do último emprego. Ele não foi franco.

No emprego

Depois que conseguir o emprego, você precisa avaliar a empresa com a qual trabalha. Como ela é? E aí a linguagem corporal do seu chefe e dos seus colegas pode ser muito reveladora. O primeiro passo vital é perceber o estilo de liderança do seu superior.

Daniel Goleman, em "Leadership that gets results" (2002) (*Harvard Business Review*), oferece um bom guia. Ele descreve seis estilos de liderança: coercivo, autoritário, afiliativo, democrático, determinador de ritmo e educativo.

- O líder coercivo exige obediência imediata e não tolera discordâncias.
- O líder autoritário tenta inspirar as pessoas com a sua visão e irradia autoconfiança, mas quer as coisas do jeito dele.

• O líder afiliativo cria vínculos. Acredita que a harmonia ensejará os melhores resultados. Um bom trabalho em equipe é lucrativo.

• O líder democrático produz consenso, perguntando às pessoas o que pensam e enfatiza a liderança e a colaboração em equipe.

• O líder determinador de ritmo estabelece um padrão alto de desempenho e não se importa muito se vai ferir os sentimentos dos outros.

• O líder educativo gosta de agir como diretor. No último episódio da série *O Aprendiz*, Sir Alan Sugar brincou que ele estava resignado a ter de atuar como mentor e diretor para o seu último recrutado, porque ele precisaria de encorajamento e orientação.

Líderes sagazes usam cada um desses estilos em momentos diferentes. Porém, Goleman adverte que a liderança nunca deve ser coerciva. Os melhores resultados, em termos de desempenho e de criação de um bom clima, surgem quando os chefes conseguem transitar facilmente pelos estilos autoritário, democrático, afiliativo e educativo.

Qual desses se aplica ao seu chefe, na sua opinião?

Exercício 8.1: Observando o chefe

Observe o seu gerente e avalie-o em relação aos seguintes comportamentos.

1 Ele deixa os outros falarem?

2 Ela costuma deixar a porta da sala aberta, a menos que tenha bons motivos para querer privacidade?

3 Ele rói as unhas ou coça outras partes do corpo?

4 Ela invade os espaços pessoais? (um exemplo extremo seria sentar a sua mesa ao vir falar com você; um exemplo menos extremo seria espiar pelas suas costas enquanto você trabalha).

5 Ele anda pelo escritório para ver o que você está fazendo?

6 Ele(a) paquera as(os) funcionárias(os)?

7 Quando o seu chefe escuta, ele se inclina em direção ao falante, assentindo com a cabeça como estímulo e fazendo contato ocular?

8 O seu chefe demonstra sinais de impaciência crônica?

9 A sua chefe é boa em elogios? Se algo deu errado, ela discute com calma sobre o que não funcionou?

10 O seu chefe compartilha as suas preocupações quando o desempenho da equipe está prestes a ser analisado pela gerência geral?

"Sim" nas perguntas 1, 2, 7, 9 e 10 sugere que o seu chefe dá sinais de ser um bom gerente.

"Sim" nas perguntas 3, 4, 5, 6 e 8 sugere que ele(a) é muito ansioso(a) e tenta desviar isso sendo agressivo(a) e rude com os outros.

Se o seu chefe obteve "não" na maioria das perguntas 1, 2, 7, 9 e 10 e "sim" na maioria das perguntas 3, 4, 5, 6 e 8, você provavelmente não está em um ambiente feliz.

Maus gerentes denunciam-se não apenas por palavras e memorandos, mas pela linguagem corporal. Eles demonstram estar chateados mexendo nas unhas ou em pontos imaginários nas roupas. Ambos são, segundo alguns psicólogos ocupacionais, variações do ato de sacudir os joelhos – o que recebe a maravilhosa descrição técnica de "balanço do joelho".

360 graus do inferno

Antigamente, poucos funcionários podiam fazer alguma coisa se estivessem sendo mal gerenciados. Mas as coisas mudaram, em parte por causa de uma nova técnica chamada "avaliação em 360 graus", em que os gerentes são avaliados não apenas por seus superiores, mas também por seus colegas e subalternos. As perguntas pedem para você refletir sobre a linguagem corporal de quem está sendo avaliado, assim como o quanto eles lhe parecem competentes. Essa nova técnica exerce grande pressão sobre os gerentes. Eu conheço um diretor que ficou arrasado ao descobrir que os seus funcionários o achavam vago e preguiçoso. Ele se aposentou logo depois.

Se você for especialmente cruel, escreverá todas as piores e mais irritantes atitudes da pessoa. Vingativo? Muito. E as tensões no trabalho são capazes de produzir esses sentimentos. Mas o uso crescente da técnica de avaliação em 360 graus também significa que é provável que você mesmo esteja sujeito a tal análise. Então, tenha cuidado quando se apresentar àqueles acima – e abaixo – de você.

Espaços no trabalho

No trabalho, uma arma fundamental é o seu espaço de trabalho ou mesa. Bons recepcionistas, por exemplo, usam a mesa como fronteira. Você não entrará se eles não quiserem.

Dentro do escritório, a mesa é o seu território. Psicólogos organizacionais descobriram três posições básicas em que as pessoas colocam suas mesas:

• No canto, de forma que quem senta esteja "entronizado", vendo tudo e protegido nos três lados (Figura 8.3);

• De frente para a janela, de forma que, quando alguém entra, depara com as costas do dono da mesa;

• Posicionadas centralmente, para que o visitante possa ficar de pé ou sentar-se de frente para você, mas também possa se aproximar de um lado da mesa.

A primeira posição dá ao dono da mesa uma sensação de controle, já que protege a parte de trás e as laterais. A segunda posição é a mais vulnerável, já que o dono da mesa prefere ter uma bela vista do exterior a observar tudo o que ocorre em seu espaço. A terceira posição é um meio-termo, porque o dono da mesa vê o que está acontecendo, mas também dá algum espaço ao visitante.

Figura 8.3 Sentar "entronizado" em uma mesa no canto

As pesquisas sobre linguagem corporal vêm se atualizando sobre as novas estruturas no local de trabalho, como escritórios abertos, centrais de atendimento telefônico e trabalho em casa, mas alguns princípios de linguagem corporal no trabalho são muito antigos.

Linguagem corporal em reuniões

A reunião é a maldição da vida corporativa hoje em dia. As reuniões atuais têm um jargão especial em que as pessoas dizem coisas como: “Posso fazer um paraquedas?” e “Por favor, não seja um silo” (É o jargão governamental para “*lobby* de interesse único”; se você é um grande silo, você não vê as coisas de forma geral).

Pelo menos a comunicação não verbal é menos esquisita do que o jargão corporativo. O crucial é saber como expor as suas ideias com firmeza sem incomodar as pessoas, e a postura e o tempo fazem diferença. Não seja preguiçoso nas reuniões: sente-se à mesa e faça anotações. Faça contato ocular firme quando os outros falarem. E tente sentir o clima da reunião. Você pode fazer isso verificando o quão tensa a linguagem corporal se apresenta. Sugiro que você não inicie confrontos se perceber muitos exemplos de atividades dispersivas, inquietação ou sinais clássicos de tensão, como pessoas sentadas de braços cruzados ou esfregando as mãos na nuca (Figura 8.4).

Figura 8.4 Linguagem corporal em uma reunião

Se você for ambicioso, vai querer uma promoção. Obviamente, o departamento de recursos humanos considerará todo o seu histórico de trabalho. Mas também será útil se você se comportar como um líder potencial, sem fazer com que os seus superiores e colegas sintam que você é irritantemente ambicioso.

A esta altura do livro, você deve ter uma ideia do que precisa projetar para que as pessoas sintam isso a seu respeito.

Exercício 8.2: Auto-observação

Escreva sete coisas que você pode fazer para convencer os colegas de trabalho de que você seria um bom líder.

Se houver alguém confiável no trabalho – especialmente alguém que não traia as suas ambições – discuta isso e, dependendo do que ele(a) disser, modifique suas táticas.

Respire fundo; pense nos riscos de tentar algumas delas e ver a reação dos outros.

Chefes do sexo feminino

Pesquisas do *website* Badbossology (www.badbossology.com), que registram o que faz um chefe ser bom ou ruim, mostram que os homens acima de 45 anos acham difícil conviver com uma chefe, porque, historicamente, as mulheres deveriam ser submissas. Os homens que agora têm chefes do sexo feminino às vezes não gostam de prestar obediência ao "sexo frágil". A inversão de papéis pode causar problemas.

Dica

Tente esquecer que a sua chefe é mulher e trate-a como trataria um chefe.

Mas nós estamos em meio a muitas mudanças sociais, o que pode causar confusão. Um artigo recente da revista *Woman*, por exemplo, retratou homens que se relacionavam com mulheres profissionalmente poderosas. Sim, as mulheres estavam acostumadas a comandar os subordinados no escritório, mas, quando iam para casa, dizia o artigo, queriam descansar. E descansavam sendo submissas aos seus homens "inferiores" – especialmente na cama. É extraordinário que uma revista feminina famosa publique o que parece um artigo bem sexista.

Estresse máximo: o negócio bizarro da intenção paradoxal

É vital apresentar boa linguagem corporal durante avaliações ou se você estiver com problemas. Se o chefe estiver criticando você – ou, pior, se você enfrentar uma audiência disciplinar – você precisa parecer razoavelmente confiante. Isso não significa que você nunca deva se desculpar, mas a sua linguagem corporal não deve sugerir que você está transido de ansiedade – ainda que você esteja.

A primeira dica óbvia é tentar relaxar antes da reunião. É mais fácil falar do que fazer, mas pode ser útil perguntar ao seu parceiro ou melhor amigo o que transmite a ele que você está nervoso.

O segundo truque é surpreendente. Nem sempre suprima os tiques e gestos, ao menos quando estiver se preparando para o que está fadado a ser uma reunião tensa. Ao contrário, adote a "intenção paradoxal". É um conceito que precisa ser explicado.

Histórico de caso

Considere a seguinte história sobre um funcionário público de um país do leste europeu.

Quando o homem se aposentou e foi para o seu sítio, foi um rebuliço no vilarejo. Todas as manhãs, um dos meninos chamava e desaparecia por um minuto no sítio do homem. Os curiosos moradores convenceram o menino a revelar o que estava acontecendo: "Sou pago para bater à porta do quarto dele e gritar umas palavras, e depois ele grita outras palavras". Ele finalmente contou que palavras eram. Disse: "Eu grito, 'O Secretário de Estado quer ver o senhor', e ele responde 'Que o Secretário de Estado vá para o inferno'".

O funcionário público finalmente estava livre após anos de subserviência ao chefe. Mas o homem também estava usando uma variante da técnica chamada "intenção paradoxal", embora não tivesse ideia disso.

O sagaz psicanalista Viktor Frankl alegava que não havia necessidade de passar meses no divã para se curar. Se você estivesse deprimido, deveria tentar conscientemente ficar o mais deprimido possível. Se estivesse ansioso, deveria ficar o mais ansioso possível. Frankl afirmava que chegar ao limite, paradoxalmente, fazia as pessoas se sentirem menos deprimidas e ansiosas. Frankl incorporou essa técnica com sucesso à terapia que praticava.

Em termos de linguagem corporal, as ideias dele podem ser aplicadas. A sequência parece simples. Primeiro, identifique os sinais indicando que você está estressado. Vamos supor que você saiba que fica inquieto e suspira quando está ansioso e é precisamente o que faz e sente enquanto espera a temida avaliação. Agora respire fundo e experimente a cura paradoxal. É muito prática.

O seu problema é ficar inquieto? Você ainda não experimentou ficar inquieto. Por quanto tempo você consegue ficar inquieto?

Vejamos. Não foi muito bom. Você não é nada em questão de inquietação. Você tem de ficar inquieto com os dedos das mãos, dos pés, joelhos até ser impossível ficar mais inquieto.

Repita o exercício suspirando. Suspire, suspire e continue suspirando. Você poderá descobrir que não consegue suspirar muito mais do que cinco minutos.

Que outros sinais de nervosismo você mostra? Demonstre-os ao máximo.

Essa técnica não curará as causas subjacentes de estresse, mas ajudará a alcançar uma medida de controle sobre elas. Também pode ser engraçada!

E rir é o melhor remédio. O que é bem estranho, não há muita coisa escrita sobre a linguagem corporal da gargalhada. Rir realmente mexe com o corpo; é uma de apenas quatro ações em que perdemos o controle do corpo. Não ficamos vulneráveis ao falar, mas quando rimos, espirramos, temos um orgasmo ou estamos sob estresse extremo, ficamos fora de controle.

Em 1955, um psicanalista relatou o caso de um menino de seis anos que não parava de rir. Em 1982, o *Lancet* observou, em um misto de alarme e diversão, que 25% de babás jovens admitiram ter presenciado uma cena de "incontinência de risadas", rir tanto a ponto de se molharem. De forma mais positiva, ao rir, você libera substâncias neuroquímicas no cérebro que promovem uma sensação de euforia.

Então, ria dos aspectos da sua linguagem corporal que sugerirão a qualquer um que for julgá-lo que você pode estar nervoso. Depois disso, é provável que você enfrente a sua reunião tensa com mais calma.

Veja algumas dicas menos inusitadas para se preparar para avaliações ou reuniões problemáticas.

Dicas

- Concentre-se para ficar bem consciente da linguagem corporal de quem está do outro lado.
- Não faça guerra de contato visual.
- Não olhe para papéis nem para os pés, o que sugerirá que você está tentando esconder algo.

Dominar a própria linguagem corporal também ajuda a lidar com problemas de trabalho corriqueiros.

Intimidação

Nos Estados Unidos, 20 milhões de pessoas dizem se sentir intimidadas no trabalho, enquanto um estudo britânico revela que 81% dos funcionários afirmam terem sido intimidados. Quando tinha vinte e poucos anos, trabalhei para alguém assim; ele nunca elogiava o trabalho bem feito e sempre culpava a mim ou aos colegas se algo desse errado. Ele me deixava tão ansioso que eu rejeitei a oferta de um novo contrato da empresa e fui embora.

Intimidadores não são sutis. Eles tentam impor suas opiniões adotando posturas ameaçadoras, gritando e aparecendo repentinamente para ver o que você está fazendo. "Todo mundo na linha" é o seu estilo de gerenciar; eles acham que, sendo imprevisíveis, as pessoas trabalharão mais. Não é verdade.

Alguns críticos agora acham que o politicamente correto nos deixou demasiadamente alerta para acusar intimidadores. Mick Hume, no *The Times*, disse ser esse o caso de Helen Green. Ela processou o Deutsche Bank porque quatro colegas mulheres teciam comentários depreciativos, não conversavam com ela e faziam barulho quando ela estava tomando decisões de investimentos. A Sra. Green teve um colapso nervoso. Mas Hume disse: "Não vejo indícios de que intimidações no local de trabalho estejam piorando – ao contrário, estamos mais predispostos a encarar a política normal de trabalho como intimidação".

Hume também espantou-se com o fato de que até as forças armadas agora têm de se preocupar com intimidações. Ele citou o caso de um sargento-major regimental em Sandhurst que havia sido suspenso por intimidar deliberadamente os cadetes gritando obscenidades a eles – "Sargento xinga recrutas", que horror – e estampando as humildes botas de um jovem. O Ministério da Defesa explicou de forma bizarra que o cadete não estava usando as botas naquele momento.

Hume ignora o fato de que intimidações podem prejudicar as pessoas psicologicamente e, em casos extremos, até levá-las ao suicídio. Quatro mortes de jovens recrutas em alojamentos do exército em Deepcut parecem ter sido causadas por intimidações.

Então, como o conhecimento da linguagem corporal pode ajudar a impedir intimidações?

Exercício 8.3: Auto-observação

Você sofre intimidações?

Como você se sente ao ser intimidado?

Quais são as suas reações usando a linguagem corporal?

Anote três casos de quando você se sentiu intimidado.

O que você fez em resposta?

O especialista em trabalho Robert Mueller (2005) ensina como se transformar de alvo em um confiante Guerreiro no Trabalho. Uma das ferramentas mais valiosas que Mueller oferece é o formulário do Relatório de Incidentes. Se você se sentir intimidado, deve registrar metodicamente quaisquer instâncias de abuso – e não apenas se você decidir processar. O processo de documentação de abusos ajudará a entender, a localizar padrões das formas de comportamento dos seus chefes e ajudará a criar métodos para combatê-las.

Tristemente, intimidações também podem ocorrer em situações mais íntimas, especialmente em família. As recentes e chocantes revelações de que talvez 600.000 idosos na Grã-Bretanha sofram abusos deixam isso muito claro. Para saber mais a respeito, consulte Susan Elliot-Wright, *Overcoming Emotional Abuse* (2007).

9
A linguagem corporal da paquera e do flerte

No famoso filme de 1989, *Harry e Sally – Feitos um para o outro*, o casal para em um restaurante a caminho de Nova York. Comendo hambúrgueres, eles discutem sobre como o homem e a mulher veem o amor – e fazem amor. Para mostrar como é muito fácil enganar os homens vaidosos, Sally (interpretada por Meg Ryan) faz uma demonstração virtuosa de uma garota tendo um orgasmo. Tudo o que uma garota precisa fazer é respirar cada vez mais freneticamente, jogar a cabeça para trás e começar a gritar "Sim! Sim! Sim! Que bom!" As pessoas ao redor escutam; uma mulher diz que comerá o que Meg Ryan está comendo. Harry (interpretado por Billy Crystal) fica envergonhado, e não apenas porque a sua amiga está fazendo um espetáculo. O maior motivo é que os homens não gostam de serem lembrados do fato de que as mulheres podem fingir orgasmos.

Com muita inteligência, a cena mostra que nós nunca sabemos o que alguém realmente sente. É por isso que ficamos tão ansiosos por ler a linguagem corporal da atração e excitação. Até mesmo hoje, 40 anos depois que a sociedade sexualmente permissiva começou a permitir, o sexo ainda é cercado de muitos tabus. E tabus são sinônimos de ansiedade – e a ansiedade aparece na linguagem corporal.

Neste capítulo, discuto:

- A paquera e o espaço pessoal.
- Paquera *gay*.
- Diferenças na maneira pela qual homens e mulheres se comunicam.
- Para onde homens e mulheres olham ao conversar.
- Como a personalidade afeta a interação sexual.

Exercício 9.1: Sinais de amor?

Como saber se alguém está paquerando você? Anote ao menos quatro pontos principais que você considere boas pistas.

Se tiver um relacionamento, que sinais você procura para perceber se o seu parceiro está romântico?

Se for um bom relacionamento, pergunte ao parceiro: "Você reconhece esses sinais como algo que você faz quando quer que eu fique romântico?"

Michael Argyle, o acadêmico que mencionei no capítulo 1, foi o pioneiro nos estudos de como homens e mulheres olham um para o outro e desviam o olhar. Esse é um dos mais antigos balés visuais do mundo – você olha para alguém que o interessa, mas não quer que ele perceba que você está entusiasmado, então você desvia o olhar. Depois, com o canto do olho, você espera que ele olhe para você – o que mostrará se ele está interessado também.

A maneira pela qual olhamos para alguém é uma habilidade de precisão. Isso se aplica especialmente quando um homem e uma mulher se encontram pela primeira vez. A situação é tensa e arriscada. Nenhum dos dois sabe o que o outro pensa, sente ou quer.

Geralmente, tendemos a ser menos diretos, porque tememos a rejeição. O Centro de Pesquisa Social de Oxford alerta que as mulheres devem ter cuidado ao ostentar a sua linguagem corporal, já que os homens são muito propícios a interpretar amizade como paquera – e paquera como desejo louco e passional. Mas, é claro, isso não significa que as mulheres nunca comecem a paquera.

Em *Psychology Today*, Monica Moore (1995) descreve o que é conhecido como uma meta-análise dos estudos da paquera. Analisando um grupo de pesquisas, Moore constatou que as mulheres usam 52 comportamentos não verbais diferentes na paquera. Eles incluem olhares de relance, olhares fixos, roupas elegantes, maquiagem, sorrisos, molhar os lábios, fazer beicinho, dar risadinhas, gargalhar e balançar a cabeça. A pesquisa dela derrubou o mito de que sempre são os homens que começam a dança; é comum as meninas tomarem a iniciativa. Houve muitas instâncias, Moore observou, em que a mulher dava uma olhada no lugar para localizar algum provável alvo interessante. Quando os olhos dela avistavam um provável candidato, ela tendia a lançar o olhar curto e rápido – olhava para ele, desviava rapidamente, olhava de novo e desviava outra vez. Muitas mulheres faziam isso de maneira tímida, disfarçada e indireta (Figura 9.1).

Figura 9.1 Paquera

No mundo atual, porém, onde as revistas de pré-adolescentes costumam discutir sexo, as mulheres frequentemente são mais explícitas. Moore até viu algumas mulheres levantarem a saia para que os homens que paqueravam pudessem olhar mais para as suas pernas. Mas, quando percebiam que outros homens estavam olhando as suas coxas, essas garotas "oferecidas" rapidamente abaixavam a saia de novo.

Moore encontrou muitos exemplos de linguagem corporal da paquera, incluindo:

- O relampejar das sobrancelhas – um levantar exagerado de ambas as sobrancelhas, seguido de um rápido abaixar.
- O sorriso tímido – abaixar a cabeça, desviar os olhos.
- Virar a cabeça para expor parte do pescoço.

Muitos especialistas veem isso como sinais de submissão feminina, mas Moore argumenta que essa análise é um erro. Esses movimentos não são submissos porque o seu objetivo é "orquestrar a paquera", e aquele que orquestra os movimentos não é fraco.

Moore não é a única especialista a achar que precisamos ser mais modernos e deixar de ver a paquera como uma batalha entre o macho poderoso e a fêmea submissa. Tim Perper (1999), da Universidade de Filadélfia, afirma que os homens que paqueram produzem gestos que podem parecer dominantes, como estufar o peito e exibir-se. Mas não se deixe enganar pela bravata. A paquera dominante também pode mostrar muitos gestos submissos, como abaixar mais a cabeça do que a mulher. As mulheres também podem oscilar entre dominantes e submissas, observa Perper. A mulher pode abaixar a cabeça, virar-se suavemente e desnudar o pescoço, mas depois "levantar os olhos e inclinar-se insinuando os seios, o que não parece absolutamente submisso", diz ele.

A pesquisa mais recente conclui que ninguém nunca é totalmente dominante na boa paquera. Ao contrário, há um ir e vir sutil, ritmado e lúdico. O casal se sincroniza. Ela vira, ele vira; ela pega a bebida, ele pega a bebida.

Dica

Quem tem talento age gradualmente. Você pode mostrar o seu interesse a um desconhecido, em um local cheio, olhando para ele(a) e tentando fixar o olhar por cerca de um segundo. Mais do que um segundo tende a ser percebido como ameaçador. Se o objeto do seu interesse mantiver contato ocular com você por mais de um segundo, ele(a) também pode estar interessado(a).

O que acontecer depois é importante. Se, depois daquele segundo, ele(a) desviar o olhar e não olhar de volta para você nos próximos 30 segundos, é possível que não haja um real interesse em você. Mas, se você o(a) flagrar olhando para tentar deparar-se com os seus olhos uma segunda vez, ele(a) provavelmente gosta de você.

Paquera e espaço pessoal

Ao tentar paquerar alguém, a distância que você mantém faz diferença. Primeiro, não se empolgue porque tem desejo ou se sente romântico. O seu objeto potencial de paquera pode se sentir diferente. Veja! Observe a distância que ele(a) mantém de você. Isso revela muito sobre os sentimentos dele(a) por você (Figura 9.2).

Figura 9.2 Avaliando o potencial para paquerar

Segundo, se você ainda não tiver estabelecido contato ocular, é muito cedo até para pensar em paquerar.

Dica

Quando se está a dois passinhos de distância, você está no limite entre a "zona social" (120-360cm) e a "zona pessoal" (45-120cm).

Se o objeto da sua paquera sorrir ou corresponder ao seu olhar, você pode se aproximar. A melhor distância é "a distância do braço" ou um metro. Com menos distância, você estará entrando no limite da "zona íntima" reservado aos casais, à família e a amigos muito próximos. Isso pode incomodar o seu alvo.

Exercício 9.2: Auto-observação

Como você se comporta ao paquerar?

O que diz a você se é sério ou não?

Tente se lembrar da primeira vez que paquerou.

Olhe objetivamente para a postura de quem estiver paquerando. Sinais encorajadores são se ele(a) também estiver se inclinando para frente e tiver uma postura "aberta". As mulheres, assim mostram as experiências, têm maior probabilidade de inclinar a cabeça para um lado quando estão interessadas.

Outro sinal positivo é o reflexo, quando os neurônios-espelho estão em ação e o seu parceiro assume uma postura parecida com a sua. Posturas parecidas com imagens de espelho – em que o lado esquerdo de alguém "corresponde" ao lado direito do outro – são o sinal mais forte de afinidade. Geralmente é melhor se as pessoas não estiverem conscientemente cientes do fato de alguém "ecoar" deliberadamente as suas posturas, porém elas ainda considerarão uma pessoa que faça isso de maneira muito favorável. Mas não vá tão longe, especialmente nos dias de hoje, quando tanta gente conhece a linguagem corporal.

Sinais de barreira

Se a pessoa que você estiver tentando paquerar não estiver entusiasmada, ela poderá reagir com sinais óbvios de barreira, como virar-se ou cruzar os braços. Também há um sinal muito sutil de "fique longe" a observar. Quem não está a fim pode coçar o pescoço e apontar o cotovelo para cima, na sua direção. Se a reação for essa, recue.

Se apenas a cabeça da pessoa estiver voltada para você enquanto o resto do corpo está orientado para outra direção, é um sinal negativo também. A mulher também pode usar a bolsa como barreira (Figura 9.3).

Figura 9.3 Sinais de barreira pessoal

Moore também observou as maneiras pelas quais as mulheres freiam uma paquera ou acabam com a festa. Para frear, a mulher tenderá a desviar o corpo suavemente, cruzar os braços sobre o peito ou recusar contato ocular. Para acabar com a festa de vez, sem chance de recomeçar, diz Moore, a mulher pode franzir a testa, olhar com desprezo, balançar a cabeça de um lado para o outro, colocar as mãos nos bolsos, olhar por cima da cabeça do sujeito, paquerar outros homens ou apenas bocejar.

Moore também observou situações em que o homem demonstrou ter a sensibilidade de um tatu. Dentre manobras desesperadas do tipo "não me chateie" às quais as mulheres precisaram recorrer, algumas seguraram uma mecha de cabelo na frente dos olhos – mensagem: prefiro examinar minhas pontas quebradas a ficar mais tempo com você. Ou, a maior das rejeições, algumas palitaram os dentes.

A melhor distância para paquerar

As regras para a melhor distância na paquera diferem, dependendo se vocês estiverem frente a frente ou lado a lado. Ao estar ao lado de alguém, o contato visual inevitavelmente é menos direto e intenso. Cada um tem de virar a cabeça para olhar diretamente para a outra pessoa. Para compensar – e isso é inconsciente – vocês se esbarram e aconchegam de maneira mais próxima do que "à distância de um braço".

Paquera *gay*

A paquera *gay* é menos estudada do que a heterossexual, mas algumas pesquisas apontam diferenças interessantes. Marny Hall (1999), um psicólogo de São Francisco, lembra que, na década de 1950, as mulheres homossexuais mantinham-se em papéis de gênero inflexíveis. As mulheres másculas faziam coisas de homem. Tinham um corpo rijo, acendiam cigarros com ar autoritário, compravam bebidas, abriam portas e eram insolentes. Por outro lado, as "femininas" balançavam o quadril e usavam truques femininos indiretos.

Na década de 1960, isso mudou e as lésbicas se esquivaram de artifícios. Na década de 1990, porém, a distinção entre mulher máscula e feminina voltou. Mas com uma grande diferença. As lésbicas atuais têm um senso de ironia e inteligência sobre toda a charada, e a distinção entre máscula e feminina é menos polarizada. "Os papéis dos gêneros estão mais misturados, com "femininas autoritárias" e "másculas suaves", observa Hall.

A ironia é interessante aqui. Ela não é encontrada com muita frequência na paquera heterossexual, porque ainda que as mulheres tendam um pouco mais a tomar a iniciativa do que antigamente, os papéis dos sexos ainda seguem um molde.

Os homossexuais masculinos também paqueram de maneiras que podem surpreender os heterossexuais. O psicólogo social Timothy Perper observou dois *gays* envolvidos em um impasse de contato ocular contínuo por 45 minutos. Só depois um deles deu o próximo passo. Era um casal lento: Perper também viu dois *gays* se adiantarem em dois minutos durante todo o ritual de "olhar, aproximar-se, conversar, voltar-se, tocar, sincronizar". E depois para a cama, de uma maneira que Samuel Pepys teria aprovado. Essa velocidade espantosa é inusitada em relações heterossexuais. Até mesmo o grande amante Casanova geralmente levava uma hora – e frequentemente um dia – para consumar seus casos.

Os homens *gays* que querem compromisso agora também podem fazer cursos de namoro, que começaram no Instituto Harvey Milk, em São Francisco, nos anos 1990. Um dos tópicos é o repertório de gestos que as mulheres heterossexuais usam quando estão buscando parceiros. Os homens *gays* são encorajados a aprender como as heterossexuais fazem isso.

Finalmente, preciso registrar um confuso incidente de paquera em um trem. Um advogado *gay*, Anthony, estava sentado de frente para uma carcereira homossexual, Tracey. Eles não se conheciam, mas, depois de meia hora, estavam paquerando com entusiasmo e marcando de saírem juntos, para que ele pudesse buscar homens e ela pudesse buscar mulheres. Os sinais de paquera eram similares àqueles que vemos em casais heterossexuais, exceto quando Tracey e Anthony ocasionalmente cumprimentavam-se com *high fives* e gritavam: "Orgulho *gay*!"

Quando homens e mulheres conversam

Deborah Tannen é uma das maiores especialistas em diferenças nas maneiras pelas quais homens e mulheres escutam e conversam. Eu a entrevistei para o *New Scientist* em 1992 depois que ela havia publicado um livro chamado *You Just Don't Understand* (Você simplesmente não me entende) (1992).

Tannen me disse que as mulheres costumavam reclamar que os seus maridos ou parceiros não conversam com elas. Ela me indicou o seu livro *Divorce Talk*, que afirma que a maioria das mulheres – mas apenas alguns homens – alega a falta de comunicação como motivo do divórcio. Como metade dos casamentos nos Estados Unidos acaba, Tannen acrescentou: "Isso compõe uma epidemia virtual de conversas falhas".

Figura 9.4 A batalha linguística dos sexos

Para ela, uma ilustração familiar resume tudo. O marido sentado à mesa do café lendo o jornal da manhã, que cobre o seu rosto, enquanto a esposa olha furiosamente para o jornal (Figura 9.4). Ele quer ler; ela quer conversar. É a batalha linguística dos sexos, segundo Tannen. E que causa muito sofrimento – sofrimento evitável, segundo ela.

Tannen admite que, quando as mulheres acusam os homens de não ouvir e os homens protestam, "Eu *estou* ouvindo", os homens costumam ter razão. Mas a linguagem corporal deles não leva as mulheres a pensarem que eles estejam prestando atenção.

"Algo deu errado no mecanismo da conversa entre homens e mulheres", Tannen disse. O problema começa, de acordo com Tannen, assim que homens e mulheres se posicionam para conversar. Quando ela estudou vídeos feitos pelo psicólogo Bruce Dorval de adultos e crianças conversando com os melhores amigos do mesmo sexo,

> Descobri que, em todas as idades, meninas e mulheres se olhavam de forma direta, os olhos pregados no rosto da outra. Em todas as idades, meninos e homens sentavam em ângulo e olhavam para outros lugares do recinto, periodicamente olhando um para o outro. Mas, quando os homens desviam os olhos delas, as mulheres interpretam como indiferença: os imbecis não estão ouvindo. E isso causa amargura e hostilidade.

As razões pelas quais as mulheres acham que os homens não ouvem podem ser até mais simples. Lynette Hirschman, uma linguista, descobriu que as mulheres faziam mais ruídos do que estavam ouvindo, como "hum", "ahã" e "sim" para mostrar que estavam sintonizadas com o parceiro. Os homens emitem muito menos ruídos e as mulheres interpretam o quase silêncio como sinal de que os homens não estão dando a mínima para o que dizem. Os homens, por outro lado, interpretam esses burburinhos como "Continue, querido" ou "Não faça tanto alarde" – sinais de impaciência.

Vamos ser honestos, cavalheiros (e eu escrevo como homem, claro). Nós homens detestamos quando uma garota diz: "Precisamos conversar". Sabemos que ela vai querer discutir a relação e não o jogo do Real Madrid; eu sei que não devemos falar assim, mas, cara, futebol é mais interessante do que sentimentos... Brincadeira!

Uma jovem disse a Tannen que, sempre que dizia querer conversar, o namorado deitava no chão, fechava os olhos e cobria o rosto com o braço. Ela interpretava isso como se ele preferisse tirar um cochilo a conversar com ela. Mas o namorado insistia que estava fazendo o "sacrifício supremo de ouvir" com os ouvidos totalmente afiados. Ele fechava os olhos para se concentrar em todas as sílabas. Ela não acreditou em uma palavra mas, depois de ouvir Tannen, ela encontrou a coragem de explicar o quão frustrada ele a deixava – e por quê.

Na próxima vez em que ela deixou claro que queria conversar, o namorado deitou como sempre e cobriu os olhos. Ela engoliu a irritação usual, assegurou-se de que ele estava mesmo ouvindo e surpreendeu-se com o que aconteceu.

O namorado sentou-se e olhou para ela. Espantada, ela perguntou por quê. Ele disse: "Você gosta que eu olhe para você quando conversamos, então eu tentarei fazer isso". Problema resolvido. Mas ambos precisaram de coragem e consenso.

Para onde homens e mulheres olham

Todos os homens tendem a olhar para os seios de uma mulher e não para o rosto dela. Mas as mulheres tendem a olhar os homens desejáveis de cima a baixo, da cabeça aos pés!

Exercício 9.3: Auto-observação – para onde você pensa que olha?

Se tiver uma câmera de vídeo, filme-se olhando para duas pessoas do sexo oposto, uma conhecida e outra pouco conhecida, por cinco minutos. Deixe-as fazer o mesmo.

Reproduza o vídeo e você conseguirá perceber para onde você e elas estão olhando em geral.

Personalidade

Sugeri que a personalidade afeta a linguagem corporal. Também afeta a maneira e a velocidade pela qual as pessoas interagem sexualmente – e como a linguagem corporal revela isso. Por exemplo, a teoria da personalidade, de Eysenck, tem implicações para o sexo (1973). Ele gracejava que "quando tudo está dito e feito, mais está dito do que feito". Os extrovertidos são mais impacientes, ficam entediados com mais facilidade e ficam sexualmente excitados com mais rapidez. Como resultado, os homens extrovertidos desejarão se apressar para o sexo – e provavelmente através do sexo. Os introvertidos, por outro lado, serão mais lentos, o que os tornaria amantes melhores se não fosse pelo fato de que eles ficam mais ansiosos.

É provável que haja problemas quando dois namorados, ou futuros namorados, têm estilos diferentes de personalidade. Eles podem achar difícil adaptarem-se aos seus ritmos. Então, a não correspondência clássica é o extrovertido "tire logo a roupa" e o

Figura 9.5 Os casais e o espaço pessoal: interesse igual

Figura 9.6 Os casais e o espaço pessoal: interesse desigual

introvertido "eu fico tão ansioso, não me apresse". E o risco é que o apressado esteja tão ávido que nem perceba os sinais que dizem "Por favor, desacelere".

Para os homens em especial, é prudente analisar o próprio passado – e encarar se você fica ávido muito rápido e se isso é denunciado na sua linguagem corporal.

O casal da Figura 9.5 está se espelhando, um inclinado para o outro e criando um espaço pessoal compartilhado. O casal da Figura 9.6 está muito diferente. Ele está muito ávido, mas ela está olhando para os pés, que estão apontados para a porta, por onde ela gostaria de fugir.

Os homens precisam reconhecer quando os sinais que estão recebendo são apenas de amizade, ao contrário de pistas "estou-pronta-para-o-romance".

Dica

Preste atenção aos sinais "Por favor, afaste-se", como a mulher dar as costas para você ou cruzar os braços quando você vai beijá-la.

Os estágios da excitação sexual

A paquera costuma levar ao sexo, é claro. E há tanta linguagem corporal no quarto quanto na sala de reuniões. Para entender a linguagem corporal íntima, vale a pena ver o trabalho de dois importantes pesquisadores do comportamento sexual, William Masters e Virginia Johnson. Eles levaram 20 anos estudando como o nosso corpo reage antes, durante e depois de fazer amor.

Em seu laboratório, Masters e Johnson monitoraram voluntários e estudaram a sua pulsação, a reação da pele, dilatação ocular, ereções, dilatação vaginal, pressão sanguínea e tudo o mais em situações sexuais. Os resultados os levaram a desenvolver uma teoria de estágios da excitação sexual.

Os dois primeiros estágios tratam dos prelúdios ao se fazer amor e são bem claros sobre a linguagem corporal. O estágio 1 é a excitação: o pulso acelera, a respiração fica mais rápida, os homens começam a ter uma ereção, as mulheres têm sensação de latejamento, as pupilas dilatam. Os animais têm rituais de conquista, mas, depois que começam, o ato sexual costuma ser rápido. Os seres humanos, porém, gostam do prazer e da antecipação do prazer por meio de preliminares. À medida que as preliminares se intensificam, a tensão cresce e se espera, espera e espera a descarga.

O estágio 2 é o estágio platô. Masters e Johnson assim o chamaram porque as preliminares levam a um ápice de excitação – um platô, se você preferir. A maioria das mulheres e homens precisa ficar algum tempo nesse estágio de grande excitação antes de atingir o orgasmo. Quando começamos a fazer amor, nosso corpo reage de maneiras bastante expressivas. A nossa respiração aumenta, nossas pupilas se dilatam e as respostas cutâneas galvânicas aumentam. Também ocorrem importantes mudanças na área genital tanto da mulher quanto do homem.

Quando se está excitado, nem sempre é fácil prestar atenção à linguagem corporal do seu parceiro. Mas é prudente fazê-lo. Ele(a) está correspondendo aos seus beijos e toques ou é você quem está tomando todas as iniciativas primeiro? Há algum sinal de tensão no parceiro? Ele(a) se afasta?

É normal ficar ansioso na primeira vez que você vai para a cama com alguém. Ansiedades bastante normais são:

- Está acontecendo muito rápido?
- Ele(a) me ama?

- Sou *sexy* o suficiente?
- O que ele(a) espera de um(a) parceiro(a) sexual?

O negócio é ter sensibilidade e perspicácia para estar alerta a qualquer sinal de última hora de estresse ou atividade dispersiva que sugira dúvida.

Alguns dos sinais mais óbvios de estresse ou dúvida são mostrados pelo alinhamento do corpo. Na Figura 9.7, o casal está sentado lado a lado no sofá, mas o homem claramente é o mais ávido, dando todos os sinais "entre-no-meu-espaço". O braço dele está sobre o ombro dela e seus pés estão voltados na direção dela, embora ela mantenha os tornozelos cruzados de maneira tensa. Na Figura 9.8, ele finalmente a persuadiu a recostar em seu ombro. Mas todo o corpo dela está posicionado longe dele e ela arqueou levemente o pescoço de forma que seja difícil beijá-lo.

Lembre-se do teste da perspicácia: você pode estar errado. Pode ser que ela não o veja como o homem dos sonhos, mas apenas como um sujeito legal, mas não exatamente atraente. Os homens precisam ser especialmente sensíveis e não supor que a conquistarão nos próximos 60 segundos.

Figura 9.7 Alinhamento corporal 1

Figura 9.8 Alinhamento corporal 2

O olho robótico?

Quero terminar este capítulo com uma observação tecnológica. Alguns de nós buscamos – e vemos – o amor em lugares muito estranhos. Um conferencista na Sociedade para a Literatura e a Ciência em Pittsburgh, EUA, em novembro de 1997, relatou que uma mulher se sentiu involuntariamente *lisonjeada* quando um robô com o qual trabalhava a seguiu com seus olhos de câmera enquanto ela cruzava a sala. A máquina parecia gostar dela – viva!

Agora quero abordar uma questão bem diferente – a mentira. Para entrar no clima, imagine quantas palavras podemos usar para não dizer a verdade: mentira, calúnia, invenção, fingimento, engodo, engano, falsidade, forjamento, contar lorotas... Será por acaso que existem tantas palavras para esta atividade humana particular? Acho que não.

10
A linguagem corporal da mentira

O filósofo Friedrich Nietzsche disse que a mentira é uma condição da vida. Entender a linguagem corporal pode nos ajudar a perceber quando as pessoas estão mentindo – e somos capazes de aprender a sermos melhores do que detectores de mentira.

Ao ler este capítulo, tente ser honesto sobre a sua motivação. Particularmente, enfrente isto:

- Você quer descobrir como mentir melhor?
- Ou você quer perceber se os outros estão mentindo para você?
- Ou ambos?

Neste capítulo, abordo:

- A psicologia da mentira;
- Os seis sinais da mentira.

A psicologia da mentira

Podemos não gostar de encarar esta verdade, mas somos uma espécie mentirosa. Bella DePaulo (1994) e seus colegas da Universidade da Virginia pediram a 147 pessoas (de 18 a 71 anos) que escrevessem diários sobre todas as falsidades que disseram em uma semana. A maioria mentiu uma ou duas vezes por dia. Um quinto admitiu que, quando ficava mais de dez minutos com alguém, mentia. Durante a semana (esperamos, mas duvidamos) de auto-observação honesta, os autores dos diários enganaram cerca de 30% daqueles com quem conversaram. As pessoas extrovertidas e sociáveis tenderam um pouco mais a mentir.

O relacionamento entre adolescentes e seus pais é especialmente desonesto. "Alunos pré-universitários mentem para as mães uma vez a cada duas conversas", DePaulo relatou.

Costumamos justificar a mentira com o argumento de que facilita a vida de quem amamos: eu sei que você adora assistir ao futebol na televisão, então eu finjo gostar também. Casais de namorados mentem em cerca de um terço das suas interações. Tristemente, mas sem nenhuma surpresa, contamos as maiores mentiras às pessoas a quem mais somos chegados. A pessoa que você ama provavelmente é quem mais ouve as suas mentiras.

Então, já que a maioria de nós não gosta de ser enganada, perceber os sinais não verbais sugestivos de que alguém está mentindo é importante. As mulheres, ao que parece, são naturalmente melhores nisso e em aprender a melhorar suas habilidades para detectar mentiras. DePaulo pediu a duplas de amigos do mesmo sexo para ver se conseguiam perceber as mentiras que os outros contavam. As habilidades femininas para detectar balelas melhorou um pouco quando seus sujeitos foram testados novamente seis meses depois, mas os homens não melhoraram.

Ninguém parece, porém, ter ousado fazer o formidável estudo para saber se os homens conseguem perceber quando as mulheres mentem e se as mulheres conseguem perceber quando os homens mentem.

Não é apenas em situações pessoais que precisamos perceber se alguém está mentindo. Em 1990, fiz um filme para o Canal 4 chamado *The False Confessions File*. Alguém me contou as orientações secretas usadas pela polícia para treinar detetives a perceber a linguagem corporal da mentira. Dizia-se que os sinais reveladores eram simples. Os suspeitos mentirosos tendiam a ficar inquietos, suar e balançar os joelhos (Figura 10.1).

Eu brinquei com isso no filme, pois imaginei que os grandes criminosos podem ter o discernimento de não ficarem inquietos o tempo todo.

Figura 10.1 Um sinal de mentira: "balançar os joelhos"

Emma Barrett, do *Psychology and Crime News*, analisou pesquisas recentes e descobriu que muito se baseia em ver como os alunos ocidentais se comportam ao mentirem em situações relativamente leves. As pesquisas sobre como os policiais podem detectar mentiras se fazem com eles assistindo a vídeos de, adivinhe, alunos ocidentais.

É diferente – e mais encorajador – quando os sujeitos são criminosos, e não estudantes de psicologia. Albert Vrij, Samantha

Mann e seus colegas (2006) da Universidade de Portsmouth estudaram o que acontecia quando policiais experientes viam vídeos de entrevistas com suspeitos reais em que "a verdade básica era conhecida" e a situação era séria. Os policiais queriam prender e os suspeitos queriam sair impunes.

Os policiais julgaram quatro vídeos. Em 72% dos casos, detectaram mentiras. Isso é muito melhor do que os 50-60% usuais tipicamente encontrados em estudos sobre a mentira. Os policiais também foram bons ao detectar a verdade (precisão de 70%). Ironicamente, considerando que eles estavam se saindo bem, os policiais tendiam a achar que não estavam sendo tão precisos e tendiam a ser "modestos demais e não confiantes demais em seu desempenho", Emma Barrett observou. Eles erraram quando confiaram demais em pistas muito óbvias, aquele tipo com o qual brinquei em meu filme, inclusive sinais de nervosismo e, sim, balançar os joelhos.

Em 1991, Paul Ekman disse ao *New York Times* que um motivo pelo qual é difícil detectar mentiras é que "o medo de ser desacreditado parece ser o mesmo que o medo de ser flagrado mentindo". Um inocente sob estresse, desesperado para que as pessoas acreditem nele, também pode demonstrar agitação e até balançar os joelhos.

Os psicólogos tentaram muito criar um guia infalível para saber se estamos sendo enganados. Burgoon, Knapp e Miller (1994) alegam que há seis diferentes pistas não verbais de que alguém está mentindo.

Seis sinais de mentira

1 – Sinais indicativos de que você está ansioso, como ficar inquieto ou, como observou Joe Navarro (2003), tocar na nuca ou no nariz.

2 – Sinais sugerindo que você está sendo reticente ou esquivando-se da situação, como olhar para baixo.

3 – Comportamentos que sejam muito diferentes da sua maneira de se comportar normalmente.

4 – Comportamentos sugestivos de que você não gosta do que está fazendo.

5 – Sinais que demonstram imprecisão subjacente. Um muito claro é hesitar por muito tempo antes de dizer algo ou parecer em dúvida.

6 – Respostas incongruentes ou mensagens misturadas.

Alguns fatores da personalidade também se correlacionam com a mentira. As pessoas autoconfiantes tendem a mentir melhor quando estão sob pressão, assim como as pessoas mais atraentes fisicamente.

As frases que as pessoas usam também podem dar pistas. James W. Pennebaker (2001), da Universidade Metodista do Sul, nos Estados Unidos, estudou as palavras que as pessoas escolhem ao mentir. Os mentirosos tenderam a usar menos palavras na primeira pessoa (como "eu" ou "meu") e tenderam menos a usar palavras emocionais (como "magoado" ou "irritado"), palavras cognitivas (como "entender" ou "perceber") e as chamadas palavras exclusivas (como "mas" ou "sem": palavras que distinguem o que é e o que não é).

Chegou a hora de ser honesto com você mesmo sobre a mentira e a linguagem corporal.

Exercício 10.1: Auto-observação – o teste da mentira

1 Eu minto

(a) raramente;

(b) apenas se não tiver alternativa;

(c) com muita frequência;

(d) com frequência.

2 Quando eu minto,

(a) sinto-me culpado;

(b) não fico muito incomodado.

3 Quando acho que alguém está mentindo para mim, presto muita atenção

(a) para ver se ele(a) está olhando diretamente para mim;

(b) para perceber se a voz dele(a) muda;

(c) para ver se ele(a) começa a se inquietar.

4 Se alguém afirma não acreditar em mim, tendo a:

(a) reagir com culpa;

(b) persistir com um sorriso;

(c) dizer a ele(a) que não seja ridículo(a).

5 Menti pela última vez

(a) há alguns minutos;

(b) na semana passada;

(c) há tanto tempo que eu nem lembro.

6 Eu minto

(a) para poupar as pessoas;

(b) porque nada vai me acontecer mesmo;

(c) porque não quero que ninguém realmente saiba o que eu penso ou sinto;

(d) porque isso faz com que me sinta superior.

7 Que profissão mente menos?
(a) jornalista;
(b) político;
(c) médico.

8 Preciso me preparar para mentir
(a) nunca;
(b) quase sempre;
(c) sempre.

9 "Não levantarás falso testemunho"
(a) era bom nos velhos tempos da Bíblia;
(b) não é um mandamento levado a sério agora;
(c) é um bom conselho

10 Quando alguém diz, "Eu nunca minto"
(a) eu o(a) admiro;
(b) eu peço provas;
(c) eu sei que está mentindo

✓ Respostas
Calcule os seus pontos contando o número de Vs e Fs nas suas respostas, de acordo com o seguinte:
P1 (a) V; (b) X; (c) L; (d) F
P2 (a) V; (b) F
P3 sem pontos
P4 (a) V; (b) X; (c) F
P5 (a) F; (b) V; (c) F
P6 (a) X; (b) F; (c) F; (d) F
P7 sem pontos
P8 (a) F; (b) X; (c) V
P9 (a) F; (b) F; (c) V
P10 (a) V; (b) F; (c) F

Quanto mais Vs você marcar, mais você acha que dizer a verdade é uma boa ideia. Quanto mais Fs, mais mentiroso você é – e tem orgulho de ser (Ignore X e L, que indicam mentira sob pressão e resposta confusa). As perguntas 3 e 7 não afetam realmente essas questões, mas dizem algo sobre a sua percepção dos mentirosos.

A linguagem corporal pode ajudar a perceber mentiras, mas como ela ajuda a mentir com eficácia? Você precisa estar muito ciente do que faz ao mentir. O melhor conselho que posso dar é que, ao mentir, você evite demonstrar qualquer um dos seis sinais de mentira na página 190.

11
Linguagem corporal intercultural

Vivemos em uma sociedade multicultural, em um mundo interdependente. Isso significa que precisamos entender a linguagem corporal de culturas diferentes, já que mal-entendidos podem ocasionar confusões e conflitos.

Ao lidar com chineses, japoneses ou árabes, por exemplo, você deve lembrar que eles têm uma ideia diferente de espaço pessoal (Figura 11.1). No norte da Europa, é considerado deselegante aproximar-se mais do que 1,33m de outra pessoa, a menos que você tenha intimidade com ela. No sul da Europa e, especialmente nos países árabes, o espaço pessoal é bem menor. Se você ficar muito longe de alguém, isso parecerá grosseiro.

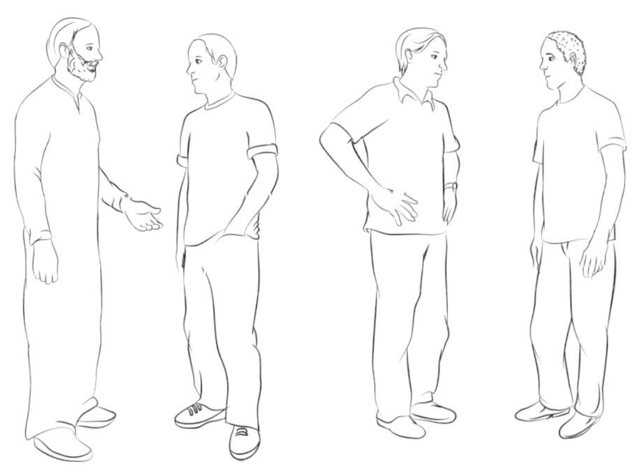

Figura 11.1 Espaço pessoal em culturas diferentes

Mas alguns aspectos da linguagem corporal são os mesmos no mundo todo. Até em Nova Guiné as pessoas reconhecem expressões ocidentais de raiva, tristeza, medo e alegria, embora em um estudo alguns membros de tribos supostamente primitivas tenham ficado confusos com as expressões de surpresa e medo.

A aparência de alguém sempre transmite informações sobre si mesmo, especialmente sobre sexo, idade e condição social. Certas culturas, porém, podem limitar as informações que devem ser transmitidas não verbalmente. No Japão, por exemplo, espera-se que a comunicação não verbal transmita informações sobre a condição, mas não sobre os sentimentos.

Michael Argyle, meu antigo professor, estudou a maneira de ingleses, italianos e japoneses se comportarem ao olhar para as expressões emocionais dos rostos. Os sujeitos ingleses e italianos conseguiram identificar as próprias emoções e as dos outros, mas acharam difícil ler os japoneses, e até mesmo os próprios japoneses não foram brilhantes ao identificar as expressões emocionais de outros japoneses. A realidade não é que os japoneses sejam sempre inescrutáveis, mas que são inescrutáveis em público e tendem a não mostrar o que sentem quando outra pessoa está olhando. Costumava ser a mesma coisa nas escolas públicas inglesas.

Para confirmar isso, o sempre engenhoso Paul Ekman investigou se havia diferenças entre os sujeitos americanos e japoneses enquanto assistiam a filmes de terror que deveriam provocar medo e desagrado. Quando achavam que estavam sozinhos, os japoneses demonstraram repulsa e pareceram assustados e incomodados, assim como a média dos americanos. Mas, quando os sujeitos japoneses assistiram ao filme com alguém presente, eles tenderam a sorrir para mascarar os sentimentos de desagrado e medo (EKMAN & FRIESEN, 1971).

Se as expressões faciais significam basicamente a mesma coisa em todo o mundo, o mesmo não se aplica às expressões do corpo. Se você quiser ver duas culturas, imagine o que acontece quando o *Sheik* Yamani, do Cairo, encontra o Sr. Yamamoto, de Tóquio.

O Sr. Yamamoto está acostumado com as conversas japonesas, que envolvem muitos rituais e respostas prescritas. Além disso, como vimos, os japoneses não consideram elegante demonstrar as emoções em público – especialmente emoções negativas. Um rosto de pôquer é considerado ideal em público; em particular, um leve sorriso é aceitável. Os japoneses também fazem menos contato ocular do que o resto de nós. Ao contrário, eles olham para o pescoço. Eles evitam particularmente olhar para o rosto de seus superiores. Eles ficam inquietos quando têm de olhar para os olhos de um entrevistador, "refletindo os efeitos perturbadores" do contato olho no olho (BOND & KOMAI, 1976: 1276). A sociedade japonesa vem se flexibilizando e existe uma grande cultura *punk*, mas a hierarquia ainda faz diferença: mulheres e homens japoneses tomam muito cuidado para estabelecer o relacionamento correto através da intensidade certa da saudação e o tom de voz certo. Eles ainda se inclinam ao saudar alguém (Figura 11.2), e a profundidade e a duração da saudação apropriada dependem da proximidade.

Na Câmara dos Comuns Britânica, nenhum parlamentar pode chamar outro parlamentar de mentiroso. A mesma inibição acontece em todo o Japão. Mas às vezes o Sr. Yamamoto precisa dizer que alguém está mentindo e, ao fazê-lo, há um gesto que é aceitável. Ele lamberá o dedo indicador e baterá na sobrancelha (SCOLLON & WONG-SCOLLON, 1994).

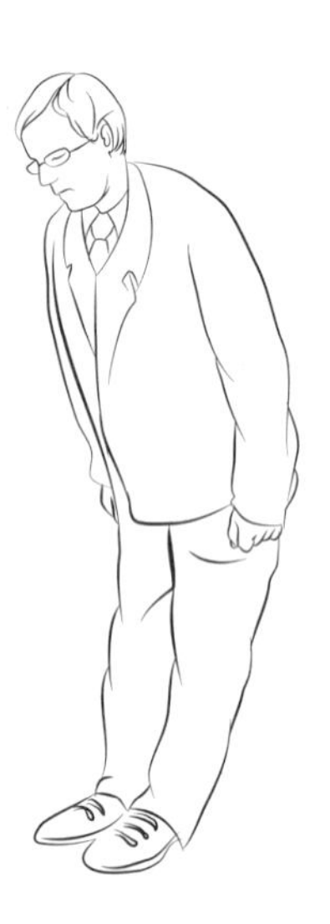

Figura 11.2 Saudação japonesa

O toque também varia entre as culturas. Em lugares públicos no Japão, há pouquíssimo contato corporal, nem mesmo apertos de mão. Contraste tudo isso com os países árabes, onde há mais toques e menos privacidade do que no Ocidente. Assim como os japoneses, os árabes também são muito sensíveis a comportamentos não verbais, mas os homens árabes têm poucos problemas para demonstrar seus sentimentos. Às vezes eles agem de maneiras que nós ocidentais veríamos como selvagens, como chegar ao extremo de rasgar a roupa e gritar em público.

Presenciei algumas situações assim na minha infância. Meu pai era um judeu árabe que nasceu na Palestina, em 1908, quando ela era comandada pelo sultão de Istambul. Meu pai era muito expressivo fisicamente, abraçando-me como se a nossa vida dependesse disso. Mas ele também era capaz de gritar e berrar como um dervixe louco. Uma vez, quando perdeu muito dinheiro na bolsa de valores, ele gritou tão alto que os vizinhos vieram bater à nossa porta. Eles acharam – com britânica educação – que alguém estava sendo assassinado. A cena foi especialmente surreal porque meu pai havia tirado as calças e estava gritando de ceroulas. Minha mãe, originária dos Bálcãs e educada na França, costumava chamar meu pai de bárbaro, porque achava as demonstrações de raiva dele muito bizarras. Na verdade, meu pai não era um mercador de camelos, mas um advogado com Ph.D., mas, sob estresse, ele voltava aos costumes de infância.

Em uma conversa, dois homens árabes se olham nos olhos mais do que dois americanos ou ingleses fariam (ARGYLE, 1975). Os homens se tocam no braço ou na mão, particularmente para enfatizar um ponto ou uma piada. Ao se cumprimentarem, os homens em geral apertam as mãos folgadamente (Figura 11.3) e até podem se beijar se estiverem sem se ver há algum tempo. Alguns gestos também têm significados particulares: por exemplo, juntar a ponta dos polegares e dedos da mão, formando uma pirâmide, e balançar a mão para cima e para baixo a partir do pulso é um sinal de que o homem acha a mulher bonita.

Figura 11.3 Linguagem corporal masculina árabe

Deparei-me com essa linguagem corporal floreada aos 16 anos, quando tive de encontrar um primo distante do meu pai no elegante Dorchester Hotel. O homem, um milionário, insistiu em segurar a minha mão por dez minutos. Eu só o havia encontrado uma vez antes e fiquei mortificado.

Esses estilos muito diferentes de linguagem corporal dificultam a comunicação entre árabes e japoneses. Um árabe que tente mostrar respeito olhando firmemente para um japonês o ofenderá, por exemplo. O *sheik* Yamani julgará aceitável mostrar como se sente, mas o Sr. Yamamoto achará que um homem muito emotivo é louco ou mal-educado.

Se você estiver viajando a negócios para o exterior, é prudente estudar os costumes locais da comunicação não verbal. Deparei-me com inúmeros gestos que, inicialmente, não tinha ideia de que eu não devia fazer.

Se passear na Grécia, não estenda os braços horizontalmente, com as palmas voltadas para baixo, em direção a alguém. Isso é um insulto que significa: "Vá para o inferno duas vezes". Outros gestos com a palma para baixo têm significados culturais específicos, incluindo o conhecido abano com a mão para "Não!", o tapa árabe mostrando repulsa e o golpe de antebraço italiano, usado como insulto sexual. Os italianos também tocam nas orelhas para sugerir que um homem é afeminado.

Em Portugal e na Espanha, se você balançar a cabeça para os lados e colocar a bochecha na palma da mão, você está dizendo que o outro é um fracote maricas. De novo, não faça isso!

Também precisamos lembrar e estar alerta ao fato de que o mundo está mudando, às vezes para melhor e de maneiras inesperadas.

Que horror! Senhora grega toca em mim!

Eu estava em um pequeno café no centro de Atenas. Já havia tomado uma pequena dose de *brandy* e queria outra. A proprietária, uma senhora, não me dava atenção, ainda que eu levantasse o braço. Eu estava ficando irritado, já que esse gesto mais do que óbvio estava sendo ignorado. Então, levantei, fui até lá e disse: "Poderia me servir outro *brandy*, por favor?"

Figura 11.4 O toque para comunicar

A senhora grisalha fez algo que me surpreendeu: colocou a mão no meu braço (Figura 11.4).

Fiquei perplexo. Senti como se ela tivesse feito uma sugestão realmente indecente na frente dos bolos gregos, mas tive o bom senso de perceber que não era nenhum tipo de cantada. Ela era uma mulher respeitável, na casa dos 50 anos, administrando um café respeitável. Ela queria, assim eu percebi, desculpar-se por não ter me atendido. Ela não falava inglês e eu não falava grego – então, ela segurou meu braço por cinco ou dez segundos. Sorri para ela e ela sorriu de volta – a mais simples das trocas humanas. Dois minutos depois, uma grande dose de *brandy* e uma guloseima de chocolate particularmente doce foram servidas.

Na década de 1970, as gregas por volta dos 50 anos tendiam a se vestir com trajes escuros de avó e nunca mais os tiravam. Teria sido indecente para uma grega respeitável de meia idade tocar no corpo de um estranho (esqueci de explicar que a minha blusa era sem mangas).

O fato de a senhora ter tocado em meu braço nu sugere que alguns tabus estão sendo extintos em algumas culturas. A linguagem corporal é uma constante e está sempre mudando.

12
A alegria de entender a linguagem corporal

Espero que agora a minha mensagem principal esteja clara. Você precisa aprender como analisar a sua própria linguagem corporal e como observar a de seus amigos, namorados, irmãos, irmãs, pais e colegas. Este livro deve ter dado a você confiança para fazer isso – e uma boa noção do que significam gestos específicos.

Não é nenhuma engenharia aeroespacial e é divertido. As principais lições permanecem:

- Preste atenção não apenas ao que as pessoas dizem, mas a todos os aspectos do comportamento delas.
- Use os olhos com sagacidade – i.e., pratique olhar com o canto dos olhos.
- Lembre-se de não se deixar levar pelos desejos. O fato de alguém sorrir para você e segurar o seu braço não significa, necessariamente, que ele(a) queira dormir com você.
- Analise os seus próprios "hábitos" de linguagem corporal.
- Decida que aspectos da sua própria linguagem corporal podem revelar coisas sobre você e o que você não quer revelar.

- Aprenda a controlar as mensagens da linguagem corporal que você demonstra.
- Use suas respostas a testes para analisar os seus pontos fortes e fracos na própria linguagem corporal. Depois, você pode começar a mudar e lidar com as suas fraquezas.
- Aprenda a rir dos seus hábitos de linguagem corporal. A capacidade de rir de si mesmo mostra que você tem verdadeira autoconfiança, aquela que acompanha um MLC – Mestre em Linguagem Corporal.
- Aproveite a autoconsciência – e a consciência dos outros – que acompanha isso.

Referências bibliográficas

ARGYLE, M. (1975). *The Psychology of Interpersonal Behaviour*. Penguin: Harmondsworth.

BANDLER, R. & GRINDER, J. (1990). *Frogs into Princes*: Introduction to Neurolinguistic Programming. Londres: Eden Grove [*Sapos em príncipes* – Programação Neurolinguística. São Paulo].

BEATTIE, G. (2004). *Visible Language*. Londres: Routledge.

BLURTON JONES, N. (1967). *Ethological Studies of Child Behaviour*. Cambridge: Cambridge University Press.

BOND, M.H. & KOMAI, H. (1976). "Targets of gazing and eye contact during interviews: effects on japanese nonverbal behavior". *Journal of Personality and Social Psychology*, 34 (6): 1.276-1.284.

BURGOON, J.K. (1994). "Nonverbal signals". In: KNAPP, M.L. & MILLER, G.R. (orgs.). *Handbook of Interpersonal Communication*. 2. ed. Londres: Sages, p. 229-285.

BURT, D.M. & PERRETT, D.I. (1997). "Perceptual asymmetries in judgements of facial attractiveness, age, gender, speech and expression". *Neuropsychologia*, 35: 685-693.

CAUDILLO, R. (2002). "The perfect handshake". *Nurse Week*, 04/08.

COHEN, D. (1985). *The development of laughter*. Londres: University of London [Tese de doutorado não publicada].

______ (1977). *Psychologists on Psychology*. Londres: Routledge.

COLLETT, P. (2005). *The Book of Tells*. Londres: Bantam.

DARWIN, C. (1872). *The Expression of the Emotions in Man and Animals*. Londres: John Murray [*A expressão das emoções no homem e nos animais*. São Paulo: Companhia das Letras, 2000].

DAVIS, F. (1971). *Inside Intuition*. Nova York: McGraw-Hill.

DEPAULO, B.M. (1994). "Spotting lies: can humans learn to be better?" *Current Directions in Psychological Science*, 3: 83-86.

DEPAULO, B.M.; LINDSAY, J.J.; MALONE, B.E.; MUHLENBRUCK, L.; CHARLTON, K. & COOPER, H. (2003). "Cues to deception". *Psychological Bulletin*, 129: 74-118.

DUCHENNE, G. (2007). *Le Sourire*. Paris: Glyphe [reimpres.]

EKMAN, P. & FRIESEN, W.V. (1982). "Felt, false and miserable smiles". *Journal of Nonverbal Behavior*, 6: 238-252.

______ (1971). "Constants across cultures in the face". *Journal of Personality and Social Psychology*, 17: 124-129.

EKMAN, P.; O'SULLIVAN, M. & FRANK, M.G. (1999). "A few can catch a liar". *Psychological Science*, 10: 263-266.

ELLIOT-WRIGHT, S. (2007). *Overcoming Emotional Abuse*. Londres: Sheldon.

EYSENCK, H. (1973). *Eysenck on Extraversion*. Chichester: John Wiley.

FARRONI, T.; CSIBRA, G. & JOHNSON, M.H. (2002). "Mechanisms of eye gaze perception during infancy". *Journal of Cognitive Neuroscience*, 16: 1.320-1.326.

FREUD, S. (1930). *The Psychopathology of Everyday Life*. Londres: Hogarth [*Sobre a psicopatologia da vida cotidiana*. Rio de Janeiro: Imago, 2006].

GAZZANIGA, M.S. & SMYLIE, C.S. (1990). "Hemispheric mechanisms controlling voluntary and spontaneous smiling". *Journal of Cognitive Neuroscience*, 2: 239-245.

GOFFMAN, E. (1989). *The Presentation of Self in Everyday Life*. Harmondsworth: Penguin, 1989 [*A representação do eu na vida cotidiana*. Petrópolis: Vozes, 2006].

GOLEMAN, D. (2002). “Leadership that gets results”. *Harvard Business Review*. Cambridge, MA: Harvard Business School Press.

HALL, M. Apud DEBORAH, A. & VERONSKY, F. (1999). “The new flirting game”. *Psychology Today*, jan.-fev.

HENNENLOTTER, A. (2007). “The neural mechanism of imagining facial affective expression”. *Brain Research*, 1.145: 128-137.

HIGGINS, P. (1993). *A Queer Reader*. Londres: Fourth Estate.

KENDON, A. (1994). “Gesture and understanding in social interaction”. *Research on Language and Social Interaction*, 27: 171-174.

LAFRANCE, M. (2000). www.voanews.com

LAING, R.D. (1970). *Knots*. Londres: Penguin [*Laços*. Petrópolis: Vozes, 1974].

LAWICK-GOODALL, J. van (1974). *In the Shadow of Man*. Nova York: Dell.

LEVI, P. (2000). *The Periodic Table*. Harmondsworth: Penguin, 2000 [*A tabela periódica*. Rio de Janeiro: Relume-Dumará, 2001].

McCRACKEN, G. (1997). *Big Hair*. Londres: Orions.

MAQUIAVEL, N. (2005). *The Prince*. Oxford: Oxford University Press [*O príncipe*. São Paulo: Cultrix, 2006].

MASTERS, W. & JOHNSON, V. (s.d.). *Masters and Johnson on Sex and Human Loving*. Nova York: Little.

MEHRABIAN, A. (1972). *Non-Verbal Communication*. Haia: Walter de Gruyter.

MOORE, M. (1995). "Courtship signaling and adolescents: 'Girls just wanna have fun'". *Journal of Sex Research*, 32 (4): 319-328.

MORRIS, D. (1967). *The Naked Ape*. Londres: Jonathan Cape [*Macaco nu* – Um estudo do animal humano. Rio de Janeiro: Record, 2004].

MUELLER, R. (2005). *Bullying Bosses*: A Survivor's Guide [www.bullyingbosses.com].

NAVARRO, J. (2003). "Universal principles of criminal behaviour: a tool for analyzing criminal intent". *Research Forum FBI Law Enforcement Bulletin*, jan.

PARADISO, S. et al. (1999). "Frontal lobe syndrome reassessed". *Journal of Neurology, Neurosurgery and Psychiatry*, 67: 664-667.

PENNEBAKER, J.W. (2001). "Patterns of natural language use". *Current Directions in Psychological Science*, 10: 90-94.

PEPYS, S. (1995). *The Diary of Samuel Pepys*. Londres: HarperCollins.

PERPER, T. (1999). "Flirting fascination". *Psychology Today*, jan.-fev.

PHILLIPS, K. & DIAZ, Z. (1997). "Gender differences in body dysmorphic order". *Journal of Nervous and Mental Disease*, 185: 570-577.

PIAGET, J. (1952). *The Psychology of Intelligence*. Londres: Routledge.

PREYER, W. (1909). *The Mind of the Child*. Boston: Houghton Mifflin.

SCHROEDER, J. (1998). "Consuming representation: a visual approach to consumer research". In: STERN, Barbara B. (org.). *Representing Consumers*: Voices, Views and Visions. Londres: Routledge, p. 193-230.

SCOLLON, R. & WONG-SCOLLON, S. (1994). *Intercultural Communication*. Oxford: Blackwell.

TANNEN, D. (1992). *You Just Don't Understand*. Londres: Virago [*Você simplesmente não me entende*. Rio de Janeiro: Best Seller].

TINBERGEN, N. & TINBERGEN, E. (1972). *Early Childhood Autism*. Londres: Taylor and Francis.

TRELEAVEN, P.C.; FURNHAM, A. & SWAMI, V. (2006). "Science of body metrics". *Psychology Magazine*, 19 (7): 416-419.

VALENTINE, C.W. (1970). *The Normal Child*. Harmondsworth: Penguin.

VRIJ, A. *Detecting Lies and Deceit*: The Psychology of Lying and Its Implications for Professional Practice. Chichester: John Wiley, 2000.

VRIJ, A.; MANN, S.; ROBBINS, E. & ROBINSON, M. (2006). "Police officers' ability to detect deception in high stakes situations and in repeated lie detection tests". *Journal of Applied Cognitive Psychology*, 20: 741-755.

ZAJONC, R. (1979). "Hot cognitions". *Psychology News*, 1: 3, out.

Índice

Conecte-se conosco:

 facebook.com/editoravozes

 @editoravozes

 @editora_vozes

 youtube.com/editoravozes

 +55 24 2233-9033

www.vozes.com.br

Conheça nossas lojas:

www.livrariavozes.com.br

Belo Horizonte – Brasília – Campinas – Cuiabá – Curitiba
Fortaleza – Juiz de Fora – Petrópolis – Recife – São Paulo

Vozes de Bolso

EDITORA VOZES LTDA.
Rua Frei Luís, 100 – Centro – Cep 25689-900 – Petrópolis, RJ
Tel.: (24) 2233-9000 – E-mail: vendas@vozes.com.br